LUZAZUL

Hernán Lavín Cerda

ADIÓS A LAS NODRIZAS O EL ASOMBRO DE VIVIR

OBRAS CASI ESCOGIDAS

Presentación
Luis Cardoza y Aragón

Primera edición: 1992

Producción: Dirección General de Publicaciones del
CONSEJO NACIONAL PARA LA CULTURA
Y LAS ARTES

ISBN 968-29-3973-9

Impreso y hecho en México

ÍNDICE

EL MINIATURISTA SE DIVIERTE

SABIDURÍA EN LAS VISIONES DE HERNÁN LAVÍN CERDA

Nos conocemos poco en Latinoamérica y, lo que es peor, nos conocemos mal. He leído y estudiado las antologías más recientes que nos dan pistas; raras veces nos dan revelaciones.

Yo siento influencias considerables, dentro de la poesía continental, de la poesía que casi es prosa eléctrica de algunos de los poetas de los Estados Unidos; es tan fuerte tal presencia que sin alta categoría es poca cosa. Dentro de la sencillez, de lo conversatorio, de lo suavemente confidencial, no debe faltar nunca la tensión que nace de la riqueza, la economía y la exactitud; siento una mezcla de esta influencia sobre todo en lo más coloquial que proviene de Jules Laforgue, cuyo centenario de su muerte se recordó vagamente.

No hicieron caso alguno de Laforgue los surrealistas franceses, quienes descubrieron y situaron a Lautréamont más que a Rimbaud. Vislumbro que el tono clownesco fue antagónico a esa seriedad que hay en la dolorosa burla, en el horror, en el vómito, en el hastío del dadaísmo; todas esas marejadas pasaron, convertidas en gravedad imprevista y en estudiosa trascendencia revolucionaria, a lo más impaciente y admirable del surrealismo admirable. Se sigue leyendo, con el fervor que merecen, a los románticos alemanes, esos grandes precursores. Poco nos hablan los ensayistas de dos influencias que advierto en mis lecturas: René Char y Francis Ponge.

Diría que el carácter arbitrario de las antologías es una de sus virtudes. Después de las innovaciones formales de Vallejo y Neruda, sobre todo de Vallejo que se inventó un idioma, se ha ahondado no tanto en experimentación formal cuanto en la expresividad y en la desnudez, en lo que imaginamos la especificidad poética que siempre es un milagro del lenguaje. Y esa misteriosa esencia delicadísima la vivimos también en formas tradicionales en las cuales se expresan voces maravillosas.

Ahora tengo en mis manos, de Hernán Lavín Cerda, un libro que me ha interesado y no sé por dónde comenzar a decir que *Adiós a las nodrizas o el asombro de vivir* me atrae por varios motivos y situaciones: lo leí abriéndolo aquí y allá y una y otra vez encontré un poema, o si no un poema, encontré una prosa imprevista. Después de repetir tal proceder me decidí por la lectura rigurosa con la certidumbre de que su ordenamiento contenía sentido.

El libro es suave, a veces, y todo oculto: lo leo poco a poco porque me va cautivando su escritura, la brisa que cruza por sus ramas, en la cual se mezcla el ingenio con el canto, dentro de un tono de sencillez aparente.

La poesía no se lee; la poesía se relee siempre. Profundidad, como escondida, de escritura pirógena. ¿Logra expresar lo que quiere expresar? A veces los que confiamos en las potencias oscuras conseguimos cosas mejores que aquellas que anhelábamos decir, exaltados por la lucidez y la ebriedad del lenguaje.

En esa forma en donde parecería que no hay nada, se siente un perfume, como diría Eliseo Diego, un sonido negro, el caudal de esa *nada* que deja su huella espléndida; y releo y me conmueve porque aquel conjunto de logros es dueño de profundidad emotiva manifestada con llaneza, como por casualidad que se vuelve tan constante que el libro suele iluminarse con estupores: este azar puntual constituye la unidad de sus cimas.

Su poesía pensativa avanza lúdicamente con asociaciones inesperadas que producen accidentes que son felicidad. En su apariencia de juego, en su juego de apariencias, nunca falta lo insólito y el sobresalto ante el mundo que despertaron mi curiosidad; no sé en dónde arranca esta súbita poesía y menos sé adónde va. Si lo supiera, ¿para qué leerla?

Hay una irrisión y un elogio de la vida. A veces percibo que se halla dotado para asombrarse con cualquier cosa sin ser por ello infantil: es un poeta con gran sabiduría y de visiones personalísimas.

No es su oscuridad la que nos perturba sino su lucidez.

Lo siento colmado de relaciones vitales y librescas; las librescas son también relaciones vitales e invencibles como las relaciones del destino.

Hernán Lavín Cerda, gusto de tu estilo de tejer el alba.

L. C. y A.
7 de diciembre de 1988

ADVERTENCIA

Entre 1962 y 1988 fueron escritos los textos que componen este volumen. Algunos están diseminados en mis libros anteriores y decidí agregar varias piezas inéditas. Se trata, entonces, de una obra siempre antigua y siempre nueva. Así lo espero. También debo decir que algunas composiciones no pudieron evitar el impacto de la metamorfosis y se transfiguraron en cuerpo y alma. Lo cierto es que podríamos destinar toda nuestra vida a la transformación de un sólo texto en un ritual que descubre el encanto de la hipnosis a través de su repetición.

Más de veinticinco años de ejercicio a partir de un espíritu que en el arte de la literatura se multiplica, perdiendo y conquistando, paso a paso, el reino de la ambigua certidumbre en el cual nos reconocemos y, a veces, nos desconocemos.

Me parece que se trata de textos casi escogidos que uno selecciona con ayuda del azar, allí donde se apoya toda energía consciente. Ciencia del azar, del humor, del asombro, del cálculo reflexivo.

Quien escogió hoy, sin duda, no es el mismo que podría escoger mañana, o después, cuando haya pasado el tiempo.

Desde las épocas más antiguas, el hombre tiene la sospecha de su condición ilusoria. La poesía, sin embargo, puede ser uno de los accidentes más felices de nuestra ilusión.

H. L. C.
Navidad de 1988 en México

Riqueza

No poseer sino
Unos cuantos recuerdos:
Todo lo que uno
Pueda llevarse
Cuando muere.
E. A. Westphalen

Al cabo de los años he observado que la belleza,
como la felicidad, es frecuente.
No pasa un día
en que no estemos, un instante, en el paraíso.
Jorge Luis Borges

ESA VELA ENCENDIDA

EL VUELO DE LA FLECHA

A pesar de todo, lo más probable es que el Universo
no sea más que un desequilibrio de la mente.

A veces creemos que el Universo respira
y sólo se trata del aullido de los lobos
o el murmullo de los pájaros.

La única verdad es que nadie respira,
pero ya sabemos que la verdad es un desequilibrio
    de la mente
o más bien ese blanco donde la punta de la flecha
no quisiera reconocerse.

A veces hemos creído que el Universo es
    especulación o fuga,
pero lo más probable es que sea un desequilibrio
en la punta de la flecha
que con incertidumbre persigue a otra flecha.

LA SILLA

Se podría decir que sólo a veces
una silla es capaz de desprenderse de sí misma
en un sueño más o menos irreductible.

A menudo sucede lo contrario
y la silla ni siquiera tiene el valor
de desprenderse de su sombra.

Se podría decir que la silla es más o menos
 una certidumbre
donde los cuerpos se niegan o se afirman
en el instante de dar comienzo al espectáculo.

Pero a menudo sucede lo contrario
y los que sueñan tampoco tienen el valor
de desprenderse de la silla.

JUEGO DE DADOS

Al fondo de la Cueva del Ermitaño, cuando el sol
se hunde bajo la respiración de los lobos,
la mano del desconocido enciende la fogata
y abre el Libro en una página que hemos olvidado:

Más allá del cadáver, sobre la castidad de su sombra,
hay un deslizamiento inmóvil
que hace avanzar los dados hacia su eterna aniquilación.

Muerte y pureza de la noche.
Muerte y tal vez pureza de la noche.

—Todavía escucho el arrebato de mi viejo corazón
—digo sin olvidarme de la Cueva del Ermitaño—:
no me gusta su ruido, no me gusta.
El ritmo casi perfecto de mi certeza me hace mal
y siento que todo es demasiado claro.

Más allá del cadáver
hay un deslizamiento inmóvil. . .

Imprecisa, casi absoluta es la muerte. Soberana.

DESLIZAMIENTO DE LA SILLA

Esta silla no sabe lo que quiere:
se desliza sin entusiasmo, con inteligencia
sobre una alfombra que prefiere mantenerse inmóvil.
Me pregunta quién soy, qué hicimos
y casi nunca se levanta.
Hermética, ella vive desensillándose
pero jamás desciende por la sombra de sí misma
y tampoco sabe lo que quiere.

—Nadie se atrevería a saber lo que uno quiere
—me grita la silla con algo de asombro.

Entonces la veo descender como si fuese una tortuga
sobre el dibujo de la alfombra
que ha preferido desdibujarse para siempre.

CABALLOS QUE NADIE RECONOCE

Un caballo que ha descubierto el cántico del azar
y a veces agoniza en los brazos de su madre.
El que vuela o canta como un pájaro
entre las nubes.
El que desaparece en su galope
hacia el abismo del tablero de ajedrez,
como si la guerra no hubiera terminado.
El que descubre, con alegría,
que cada noche es una metáfora
por donde avanzan las yeguas
en su espiral inmóvil.
El que acaricia a una piedra sobre el polvo.
El que se burla de sí mismo en la tierra de nadie.
El que huye en medio de la música.
El que piensa en su destino y, suspicaz, insomne,
prefiere que los otros disfruten del paisaje
y tengan al fin la razón.

Estos caballos, que nadie reconoce, están salvando
el mundo.

PENTACORDIO AL MEDIODÍA

Al espíritu más antiguo,
al Viejo Filósofo
que fluye como el agua...

1. El filósofo

Ahora estás sentado y te apoyas en una mesa blanca.
De pronto desaparece tu figura, eres como ceniza
y el polvo, antes de reunirse con el polvo,
es un poco de alegría bajo el cielo,
un signo sobre la mesa que se mueve
como pequeña tortuga,
una voz entre las bugambilias.

2. El rostro

Rostro de niño cubierto de arrugas:
ha pasado el tiempo y algunos dicen
que todavía te llamas vuelve pronto,
con esa cabeza que palpita
como un corazón arrepentido.

Rostro de anciano con ojos de niño:
han pasado las noches y algunos dicen
que todavía te llamas ¿hasta cuándo?,
con ese corazón que se ha vuelto mudo
como una boca arrepentida.

3. El equilibrista

Nací entre árboles, flores, insectos,
y soy equilibrista desde el primer día.
Le tengo miedo al vacío
y el temor de dar un pie en falso,
hace que mi caída sea inevitable.

Obsesionado por no dar un pie en falso,
he perdido mi espontaneidad irreflexiva
y trato de sobrevivir cayéndome al abismo
en un ataque de risa incontrolable.

4. El sabio

Mientras más sabemos de la muerte,
mayor es nuestro miedo
cuando nos acercamos a ella.

Debiéramos desprendernos de tanta "sabiduría".

El sabio ignora que la muerte existe
y tiene la virtud de sonreír
cuando descubre su propia ignorancia.

Vivir es transfiguración:
risa que se ha vuelto perdurable
como las hojas del naranjo al mediodía.

Táctil y generosa es la muerte
transfigurada en espíritu del sabio que la ignora.

Larva es la vida: luz del naranjo.

Mientras menos sepamos de la muerte,
mayor será nuestra alegría
cuando nos acerquemos a ella.

5. El enredador

No tengas miedo:
desenreda lo enredado
y vuelve a caminar bajo la lluvia.

¿Por qué te complicas la vida
enredándolo todo?

Recuerda que la inteligencia es un peligro
y la cultura ha sido el ritual
que podría volverte loco en un instante.

Sin embargo has vuelto a lo mismo
y siempre te enredas como un nonato
que quisiera escapar de su jaula,
pero la confusión es el vuelo
del pájaro enredado bajo la lluvia.

CASI LA VERDAD

Los hombres mienten
durante toda su vida.

Sólo algunos recuerdan
y dicen la verdad en el momento de morir,

cuando sabemos que casi toda verdad
es una falta de pudor inadmisible:

tal vez un exceso de énfasis
o de espíritu crítico que pertenece a la mentira.

De cualquier modo los hombres mienten
y morir es de nuevo la confusión original.

Escrito bajo el árbol
de la memoria,
un día
del que no puedo acordarme

EL REGRESO

Has vuelto a esperar la muerte en un sillón
que tiene la forma de una tortuga indefinida.
Nadie habla, no hay gestos, nadie
se atrevería a decir que todo sigue igual.

Has vuelto y descubres que los pájaros
son iguales en todo el mundo:
uno de ellos, con plumas rojas, canta como una niña
y otro deja caer un huevo encima de tu calvicie.

De pronto viene un soldado, derrama
un poco de gasolina sobre la sombra
de nadie, sobre el pájaro, sobre el huevo,
y le prende fuego al paisaje

donde el sillón es la única certidumbre
de una historia equívoca, cruel, indeleble.

ESPERANDO LA MEDIANOCHE

Moribundas fueron las vacadas en medio de las aguas
que todavía tiemblan sobre los cielos de México.
Moribundas como entre los subterráneos,
más allá del rumor de los bosques de Arauco
y todas las pestes, los incendios, los ojos
esperando al mediodía los desbordes
o la muchedumbre de los huesados, los deshuesados
que aún sobreviven en las ratoneras del mundo.

Galaxias de ratones y abuelos, nietos, bisnietos,
tataranietos
ratoneando por encima y por debajo de las aguas,
las cordilleras y los ríos:
nieves temerarias o eternas haciéndose polvo
en la mortandad de la caída
y hacia las profundidades de los desfiladeros
donde los cielos son otra vez el límite entre las aguas.

Desde allí se observa el desconcierto
o la resurrección de los carnívoros que se deslizan
como cangrejos en medio de la noche,
un poco antes de Adán y Eva.

Noches para los desnacidos, tal vez los turbios,
los anteriores a la perplejidad del nonato,
los alejados del fin, del todavía, del sin embargo,
los que a menudo resucitan.

Noches para la pesadilla de las cabalgaduras,
medianoche cuando el galope por los cielos de Chile
se confunde con el dolor de los cómicos,
los turbulentos y los enloquecidos
por las aguas de los cielos de México:
zopilotes y cóndores desgarrando el lomo
    de las yeguas
o desplumando a los guajolotes y a las bandadas
    de tórtolas,
queltehues o diucas que palpitan como novias
o abuelas o vírgenes en la noche de Sudamérica.

Patíbulo esfumándose en el vértigo de la caída,
multitud de cuerpos agonizantes, vacas
insepultas en el estupor
y la zozobra de sus toros que vacilan
sobre el poder de los códigos impuestos a la vacada,
ese doloroso vacío del sentido.

Dolor y más dolor bajo los árboles o en medio
    de las aguas,
estallido de mimos que resucitan
o se mueren una vez más en los precipicios
    del mundo.

Coyolxauhqui que todavía solloza sobre los cielos
    de México:
visión de decapitados, locura de comediantes,
verdugos y víctimas desapareciendo como coyotes
    o pumas

entre las cuevas de Chile donde la despeñada
es una herida que no desaparece nunca, un
    zumbido
casi abstracto hacia la medianoche en que todos
resucitemos de nuestra propia muerte.

Casi Navidad de 1977
con algo de frío, smog
todavía no muy visible
y el sollozo de algún cerdo

LA COMEDIA DEL CADÁVER

Sobre la cama no hay nadie:
debajo de mi cama hay un cadáver.

De pronto me subo a ella
y sin embargo no hay nadie.

Mi cuerpo emite señales:
alguien se revuelca sobre la cama
y sin embargo no hay nadie.

De pronto hay una explosión
y debajo de mi cama hay un cadáver
que tiembla y sólo emite sonidos.

Desde la cama veo cómo se estremece
y sin embargo no hay nadie.

De pronto emito radiaciones
y me revuelco sobre la espuma.

De pronto me subo a ella
por encima o por debajo de mi cama.

Todo es sumamente gracioso
y sin embargo no hay nadie.

UNA VISITA AL MATADERO

Con golpes de cachiporra en la cabeza
del vacuno que brama como si fuera un niño,
con ese ruido de piedra hueca o de tambor
pudriéndose
después de la elegancia de un solo macanazo,
hasta que el matarife pueda obscenamente
descubrir las bellas o malas artes de la carne
dispuesta al sacrificio para el abasto público.

Delirio de precisión de la cachiporra
en los mataderos de Santiago de Chile
donde se practican las ciencias ocultas de la carnicería
como si fuesen galas del trovar:
ocultismo en el ojo
que colgará del verdugo extraviándose de órbita
junto al holocausto del ternero de la vaca más antigua.

Cómo olvidarnos del bramido de los toros
degollados en el patio
donde sólo se escucha el zumbido de una piedra hueca
o el chorro de agua que salta de los grifos:
un poco más allá se descuelgan las ubres de sus vacas
como la solitaria bombilla del estudio de Francis
Bacon.

No interrumpe su vuelo de guadaña esa cachiporra:
del hocico al testuz, del testuz a la espiral sin oxígeno
como si fuera taladro eléctrico, lezna de acero,
casi mítico punzón de las trepanaciones.

¿Cómo olvidarnos del cuchillazo póstumo
    en medio del corazón?
Ya no braman los toros, el miedo enceguece
    a las terneras
y las últimas vacas escuchan la voz del matarife
invitándolas a sumergirse en la hipnosis
    del degolladero.

LAS HONDURAS DE SUDAMÉRICA

Sobrevivo como los gallinazos más allá de las aguas
o entre las plumas enloqueciendo en bandadas
  de serpientes
que vuelan al estilo de los cadáveres
y sólo se alimentan de cadáveres:

hermosos buitres volándose las arboladuras
  de la madre
y su heroísmo estéril en medio de las noches
y las aguas donde la luna
no es más que la carne moribunda de otros cadáveres
volando como un cementerio de buitres
hacia las profundidades de Sudamérica
o más bien hacia los acantilados ocultos
en la ambigüedad de Sudamérica.

Ombligos como acantilados en el pavor de los buitres
y más allá del infinito de aquellas nieves
o plumas o aguas que enloquecieron
en manadas de lobos o pájaros o yeguas
como cadáveres arrastrándose al estilo
  de los gallinazos.

Imagínatelo, niño, imagínate las honduras
  desde siempre

y no te olvides del heroísmo
convertido en bandadas de caballos salvajes
persiguiendo a los cadáveres enterrados
en las cordilleras
que todavía naufragan enloquecidas por los cielos,
como aquella multitud de llagas en la Santísima
Trinidad.

¿Todavía no me oyes, gallinazo entre las aguas?
¿No escuchas tu propia voz, cementerio de lobos
en las profundidades de Sudamérica?
¿Cuándo dejarás de ser el amortajado más allá
de los árboles
o el devorador enloquecido por las nubes?

Galaxias en la Cruz del Sur, imagínatelo:
noche a noche me hago cruces y somos la altura
del espinazo de las bestias
que se derrumban hacia las profundidades del océano
donde los cadáveres han puesto sus huevos
con asombro,
más allá del júbilo de los tataranietos de Abel
devorándose hasta la médula de Caín bajo los truenos,
y finalmente los ojos que fueron expulsados
del firmamento donde la cruz es una locura
de estrellas
huyendo de sí mismas como recién nacidos.

Naufragio de gallinazos como tumbas
destruidas por el sol que a todos nos confunde
o por las enceguecidas del sol enloqueciendo de sí
mismo,
cuando se acerca la hora de partir y nadie abre
sus labios
en un lamento que pertenece a la historia más antigua.

Después de todo, nada es suficiente
y los amortajados tataranietos de Abel
apenas pueden volar en bandadas de pequeños lobos
que sólo se alimentan de cadáveres
en cuyo esplendor nacieron las estrellas
que nadie se atrevería a descubrir en el momento
de la anochecida final, cuando el universo fue
remolino
de plantas perennes de la familia de las labiadas
con hojas demasiado pequeñas
y los bordes inquietos al estilo de las tumbas
y las flores en laxas o rotundas cabezuelas axilares,

así como los gallinazos que diariamente agonizan
por los cielos
y más allá del fin de las aguas donde el clamor
de nuevos cadáveres
es tan insoportable como la eternidad
de las nieves derritiéndose más allá del vuelo
de las serpientes
en las profundidades de Sudamérica.

Noche de los desamparados,
casi otoño de 1977
con esa luna rojiza
como el caparazón de los cangrejos

UNA SOMBRA EN AUSCHWITZ

1

Hay una sombra en llamas
que trata de huir bajo la lluvia.

En esa sombra vivo yo, torpemente,
como tortuga que trata de huir
entre los árboles.

De pronto desaparezco más allá de la sombra
como lengua en llamas,
y trato de sobrevivir hasta que llegue el día.

¿Cuándo dejará de llover?
Todavía no sé cómo me llamo
y creo que nunca salí de Auschwitz.

2

Ya no puedes hablar
y tu cerebro es una gota
que cae sobre la tierra húmeda.

Con su sonido de campana,
tu cerebro es una piedra

que trata de huir
como caballo extraviándose
bajo la lluvia.

Fuimos la última sombra
y todavía no puedes hablar:
martirio del agua que seguirá cayendo
sobre nuestros ojos.

Con su sonido de campana,
tu cerebro es animal desollado
bajo una luz verde
como el espíritu del caballo enloquecido
que quisiera desaparecer
sobre la tierra húmeda.

3

Calvo, sin dientes, empiezas a cavar la fosa
para tu cadáver que no se atreve
a descubrir el escándalo
de una resurrección entre los árboles.

—¡En esa sombra vivo yo! —gritas con desaliento
y de pronto desapareces como tortuga
en las profundidades del agua.

Entonces dejas de cavar la fosa
y tratas de sobrevivir bajo las nubes.

—¿No te acuerdas de nada —me preguntan
desde la orilla.
—Creo que no —digo sin tristeza—. Todavía soy
un niño.

INVIERNO DE 1942

En Varsovia somos nodrizas de los piojos
que chupaban nuestra sangre
y aún se contagian de locura mística.

—¿Sobreviviremos? —pregunta Andrzej Zulawski
mientras yo no dejo de enterrar la aguja
en el misticismo de los piojos
que respiran como fantasmas
en la cámara de gas.

Tifus, piojos, fiebre que puso el cebo en nuestra
sangre:
solamente vacunas para los nazis.
No deberíamos infectar a los piojos
en sus cajitas como ataúdes:
miniaturas del miedo, no debiéramos infectarlos.

¿Sobrevivirán los nazis en nuestra locura casi mística?
Leche materna para los piojos
en esta clínica de Varsovia.

¿Qué hacer contigo, Dios ingrávido y cruel?
Tú que nos confundes, dinos hacia dónde vamos
aunque tal vez no debieras arrepentirte por nosotros.

Pasan los años y todavía somos nodrizas,
lactantes que únicamente ceban
a sus piojos en todo el mundo.

Mañana seremos actores cómicos
en el temblor, el mismísimo nunca, la lógica
de sus cajitas como ataúdes.

Escrito el 20 de febrero de 1985,
luego de ver La tercera parte
de la noche, *película*
del cineasta Andrzej Zulawski

LA SEÑAL

Nunca olvidemos que volaban los hilos del prepucio
y era ésa la señal de la alianza entre todos:
no olvidemos que los circuncisos temblaban
 en el fuego
y la ceniza era la señal del dolor entre nosotros.

Es la hora del último destierro y no queda nadie:
alégrese Dios, piedad en las llamas, séanos propicio
y nunca olvidemos que volaban los ojos del fin
 del mundo
y más allá de cada prepucio se oía la risa
 de los incrédulos.

Locura en el despeñadero de la Trinidad volando
 sobre las aguas
y era ésa la señal de la alianza entre todos:
no olvidemos las ensombrecidas carnes
 de los circuncisos
en medio de las llamas donde Dios fue cubierto
 de tatuajes.

Tempestad en el prepucio de los huérfanos,
temor de los desamparados en el vuelo de sus carnes
y era ésa la señal de la alianza entre nosotros,
cuando llega la hora de partir y no queda nadie.

Venid a mí, dice la Trinidad bajo las llamas
y el hilo del prepucio era un túnel
donde se oía el gemido de los incrédulos:
piedad, sólo piedad, y era ésa la señal de la alianza
cuando temblaban las aguas junto a las carnes del fin
del mundo.

Demencia en las ojivas nucleares de los huérfanos,
tormento de los circuncisos hacia la media noche:
nunca olvidemos que sobrevolaban los ojos
del último día
y era ésa la señal de la alianza en medio
de los cadáveres.

Venid a mí, venid a quién sabe dónde, dice
la Trinidad en el fuego
de los desamparados cuando no queda nadie:
no olvidemos que desaparecían los ojos del fin
de las aguas,
nunca olvidemos que Dios era una sombra llena
de tatuajes.

Probablemente es la hora de volver y no queda nadie:
venid a mí, temblor de Dios en las aguas,
venid a quién sabe cuándo, dice la Trinidad
mordiéndose los labios
y la ceniza era señal de alianza entre todos.

Pesadumbre en las ojivas nucleares de los huérfanos,
melancolía de los circuncisos que vuelan hacia el fin
del mundo:
no olvidemos la visión de los incrédulos
en la noche donde Dios es un niño incendiándose.

Venid a mí, venid a la zozobra de los muertos
donde la Trinidad era una bandada de águilas
en el fuego:
nunca olvidemos que desaparecían los ojos del fin
del mundo
y el estupor fue señal de alianza entre nosotros.

Invierno de 1977

TREN LIGERO

Me subí al Tren Ligero en la estación Nezahualpilli,
al mediodía,
y vine a caer en la noche de Berlín
durante la primavera de 1966.

No me esperaba nadie:
ni los hermanos Grimm escondidos entre los arbustos,
ni la mujer araña en el espíritu de Goebbels,
ni Hanna Schygulla, ni Klaus Kinski,
ni Rosa Luxemburgo con sus zapatos viejos,
ni las medias azules por las que todavía se descuelga
Marlene Dietrich en su abandono.

El Tren Ligero es el mismo
de hace más de veinte años
con sus asientos rojos, sus monedas
cayendo en la ranura del torniquete
y la pequeña cápsula de cristal ahumado
que aísla al conductor en una atmósfera de fin
de mundo.

De pronto me descubren en Taxqueña
con avenida Karl Marx, bajo los fresnos de principios
de siglo.
Desde lejos una muchacha

—¿tal vez la nieta de Himmler?—
me hace la señal de la cruz con su mano izquierda
y no podríamos abandonar el desierto
de Berlín en medio de las nubes, no es algo fácil.

DIÁSPORA CON COLMILLOS

Cofradía, martirio, lengua neutra, ya no meditabunda,
lengua sin su Lengua, falso
ombligo de nadie:
ni los dioses ni sus huellas, su sombra, su larvario
    desprecio,
su rumor
o lo más absoluto de su orgullo.

Suntuoso movimiento en lo sombrío de este país
    sin útero,
sin el dominio final de la placenta
—¿quién grita, quién tiembla o solloza?—,
sin el poder del pezón póstumo.

Sospecho que tampoco salí nunca
del remoto, sobrio, soberbio, modesto, vanidoso,
    enloquecido
y torturante Chile.

Todavía me muerdo estas uñas amarillas
en mi casa de Asunción 221, muy cerca del cerro
    San Cristóbal:
no estoy ciego, soy un mono monomaniático
que durante la noche se devora a sí mismo
y entierra sus uñas en esta fértil e infeliz provincia

donde todo animal lleva la muerte o su simulacro
    en los colmillos
y agoniza, mudo, sordo
bufón en sus pezuñas, su nuca, sus pestañas,
lo que queda de sus huesos, mis cóndilos
y estas pobres tripas cuya sinuosidad
o su énfasis
las aleja del culo para siempre.

NADIE

Que a nuestra vida llegue, sigilosa,
la espiral en el zumbido de los insectos;
digan que me llamo Sebastián Acevedo* y no estoy
loco,
me llamaré Domenico** en el paisaje
de Andrei Tarkovski entre las llamas
y habrá un perro que todavía tiembla:
hubo una vez ladridos en la ciudad de Concepción
y desde luego los acordes de Beethoven,
las hogueras, no estoy loco.

Que al fin llegue la espiral; estoy temblando,
en el zumbido
o en la explosión de los insectos;
hay atmósfera de circo romano,
nadie se ha vuelto loco,
la cordura hizo del mundo una catástrofe,
el viento no es tan suave como la sonrisa
de mi abuela Matilde, la muy tenaz
bajo esta lluvia de Sebastián Acevedo, no estamos
locos:
una cabeza no es lo mismo que todo el cuerpo
con sus miradas
a través de la piel estirándose como animal montuno.

Domenico en las nubes, Tarkovski en el fuego,
Acevedo volando entre cenizas
que más de alguien ha visto florecer como una cruz
en su frente húmeda;
¿qué mundo es éste, no estoy temblando, donde
un loco
habrá de recordarles que debiéramos tener vergüenza?

No ensuciemos el agua, la vela encendida
se consumirá por nosotros en este paisaje desértico
sin el zumbido cuya espiral, sigilosa, es un temblor
estéril:
aún no sé cómo me llamo, nadie
se ha vuelto loco entre ladridos que vienen de Chile,
no soy en Concepción más que una hoguera
donde los perros apagan su sed, siempre la sed
que no es propia de este mundo;
hay atmósfera de circo, madre nuestra
que estás en el cielo, hay sólo atmósfera
con el loco que se volvió lengua de humo
más allá de los insectos en la música de Beethoven.

* Se inmoló, quemándose vivo, en Concepción, ciudad del sur de Chile.
** Se inmoló, quemándose vivo, en *Nostalgia*, película de Andrei Tarkovski.

ABANDONADO EN SU PALACIO

Perdido en su Palacio de Gobierno,
el Capitán General no puede más
con el fantasma del Presidente asesinado
en los días del crimen casi perfecto.

Pero pasan los años y al fin se sabe
que nada es perfecto en este mundo,
cuando los cadáveres suben, bajan, vuelven a subir
por las escalinatas del Palacio de Gobierno
donde el Capitán General es un verdugo con nostalgia
como si fuese el último Caballero de la Orden
    del Terror
derrumbándose del caballo a cada instante,
    sin mucho estilo.

Abandonado en los rincones del Palacio,
el Capitán General descubre, impasible, que ha
    perdido la memoria:
ni siquiera sabe cómo se llama, por qué tiemblan
    sus manos
y no puede más con la ambigüedad o el entusiasmo
del fantasma que lo despierta cuando duerme
y lo hace dormir entre sus víctimas cuando está
    despierto.

El Capitán General no dispone de los beneficios
que a veces hay en la lucidez de la decrepitud:
simplemente es una víctima de su propio verdugo
y no puede escapar, aunque lo sueñe,
del fantasma del Presidente asesinado
en los días de la conspiración casi perfecta.

Pero pasan los años y al fin se sabe
que no hay nada perfecto en este mundo,
ni siquiera el crimen organizado como una obra
de arte.

LA ÚLTIMA VISIÓN

1

Muero de hambre, locos, me voy de nuevo
y soy el pudor del que rabiosamente
se va muriendo de hambre.

Casi muero de hambre, locos de muerte, cómo me voy
y somos la falsía del pudor del que se va muriendo
de su extrañísima muerte.

Con hambre, sólo con hambre
y que las hambres del mundo impongan al fin
su dictadura entre nosotros.

2

Cosa muy rara, sin duda, se dijo en mí
el último de los locos que fue muriéndose de hambre
hasta el momento de la iluminación.

Pudor de cosa rara con toda la oscuridad
deslizándose por encima del estallido del mundo
y más allá de las iluminaciones del loco embrujante.

Fin del Juicio Final entre los moribundos del hambre
por todos los pobres de espíritu
que todavía nos matan con su extrañísima muerte.

3

Malditos los falsos, ya lo creo, los entristecidos
que hicieron de su locura una bienaventuranza
y no alcanzaron a morir bajo estas hambres.

Falso pudor de cosa extraña con sus muertos
que se arrastran y gimen por los subterráneos
del mundo
en medio del estupor y la alegría de los locos.

Naciones en los filos del resplandor de la locura
donde la mortandad de los oscuros
es rabiosamente inferior a las dimensiones
del hambre.

4

Por eso vuelve a mí, loca, me voy de insólito
y soy el mero mero de las voladas
en lo profundo del espacio lleno de sombras

con el falso pudor de sus muertos
que se lamentaban y sonreían por los subterráneos
del cielo
donde casi me resucito de hambre, sí, locos de cosa
rara.

Ya mero me voy, cómo me matas, y de volada fuimos
los tontos
gozándonos de hambre con estas alas en lo sumergido
de la iluminación a través de sus muertos.

5

Posiblemente cosa más que insólita, se dijeron en mí
los sentimientos de los últimos locos encima
de sus locas
abrazándose por el estallido interminable del mundo.

Expansión y bienaventuranza de los extrañísimos
enterrados en el filo de los tormentos
donde nadie se reconoce en los ojos de nadie.

Agudeza del Juicio Final en medio
de las iluminaciones
que nos resucitan con el miedo en la frente
y todo moribundo volverá a sus hambres primitivas.

Otoño de 1977

BORIS PASTERNAK

Si alguna vez me rehabilitan,
corro el peligro
de que me obliguen a la exhumación,
lo cual sería una ceremonia intolerable.

Por eso les ruego
que tengan pudor y, si es posible,
ayúdenme a seguir durmiendo
aquí abajo,

sin envidia como el inocente
que sólo puede creer
en la vida de ultratumba
y piensa que el futuro aún nos pertenece.

Invierno de 1981

LAS PALOMAS

¿En qué basural se hundió la Suiza de América?
No estás pensando en Montevideo
sino en Santiago de Chile con sus palomas
que picotean, carnívoras, en la calvicie
de los jubilados soñolientos como lagartijas
que hubieran perdido la última esperanza.
Entonces uno se pregunta si las lagartijas de Zurich
serán tan crueles como aquellas palomas
de la Plaza de Armas, junto a las ratas del Correo
    Central.

Si así fuera, más vale quedarse mudo
y cerrar los ojos como la bestia
que acabará sus días en el basurero.

Los padres de la patria llegaron a creer en el progreso,
ese mito sangriento como las palomas
que no interrumpen su ritual, suceda lo que suceda.

Pasan los años y el país, engañoso en su dinámica,
no pasa de ser la caricatura de siempre:
falsa modestia, moral de hierro, la misma historia.

Estás aburrido y prefieres quitarte el sombrero
para que las lagartijas, como palomas
que hubieran perdido la fe,
no me abandonen y vayan picoteándome la cabeza
con asombro, como Dios manda.

PENTÁGONO DE LA CRISIS

1

En aquel tiempo, dijo Buda a sus discípulos:

—Si de pronto viene la crisis,
ustedes dirán qué hacemos.
A causa del reumatismo
no me puedo concentrar
como lo hacía en el pasado.
Por eso fracasa la meditación
y estamos a punto de ser
las primeras víctimas de la crisis.

Por si fuera poco, me siento muy deprimido
y me pregunto qué sería de nosotros
si llegamos al futuro
con esta ausencia de plenitud
que sin embargo nos conmueve.

Son ustedes los encargados de resolver el dilema:
locura de la iluminación o locura de la barbarie.
No me siento pesimista pero me voy a dormir.

2

En tiempos de crisis,
lo más recomendable es subirse al Tren Ligero

y viajar desde Taxqueña
hacia el Estadio Azteca,
desde el Estadio Azteca hacia Taxqueña,
desde Taxqueña
hacia el Estadio Azteca,
desde el Estadio Azteca hacia Taxqueña,
y así hasta el infinito sin bajarse jamás.

Les aseguro que sería un viaje inolvidable.

3

En tiempos de crisis, yo no sé qué importancia
puede tener una mosca
sobre el manto de una virgen.

A través del lente de aumento
puedo sentir la respiración de la mosca
en uno de los pliegues del manto de la virgen.

En tiempos de crisis, la mosca amenaza
con volar en cualquier instante
y la virgen sonríe de modo cómplice.

Al final de la comedia, no hay virgen
que sepa lo que está sucediendo
y la mosca desaparece con sus alas cubiertas
de sangre.

4

En tiempos de crisis, los automovilistas
deploramos el cumplimiento
del Reglamento del Tránsito
(léase precaución, solidaridad, cortesía)

por parte de nuestro colega
que de repente va delante de nosotros.

En tiempos no sólo de crisis, los automovilistas
alabamos el cumplimiento
del Reglamento del Tránsito
(léase poca velocidad, cuidado, una sonrisa)
por parte del mismo colega
que de repente va detrás de nosotros.

5

En tiempos de crisis,
bailar sería lo más recomendable.

Sin embargo esas caderas ya no responden
y tus rodillas tiemblan, Dios mío, cómo tiemblan.

Sea como fuere, tú bailas, sólo bailas
y pareciera que la crisis desaparece como por encanto.

Afuera toca la banda de músicos
y una perra mira de reojo a su perro

en un ambiente de júbilo
que sólo es comparable a los días de infancia.

EL CORREO

A menudo te llegan amigos muertos
en sacos del correo: son los mismos
que recibía el poeta Gonzalo Millán
en alguna calle de Ottawa,
durante el invierno de 1979.

Aquellos muertos tienen frío, sobreviven
como perros asediados
por su propio aullido,
no abandonan la huelga de hambre
y nuestros hijos los reconocerán algún día.

Los muertos viajan desde Santiago de Chile
y habitualmente llegan mutilados,
sin rostro alguno,
como manuscritos antiguos que nadie sabría descifrar
en estos años de vergüenza, dolor y miedo.

Vivimos con los ojos vendados.
Los ojos se abren bajo la venda.

VÍCTIMA O VERDUGO

Volverá Dios antes que Dios:
hechicero volverá, gnóstico
el humorista, incrédulo
volverá, ya estuvo
el anterior a sí mismo
comiéndose las uñas, pegándonos con un palo.

Volverá como en el principio
cuando todo era uno
y nada se dividía.

Pálido volverá el verdugo sin abrir los ojos:
víctima, al fin, de su comedia.

LA SEGUNDA PATRIA

La Cineteca Nacional es tu segunda patria
con el agujero de la cámara de filmación
que espía tus pasos, más allá de la pantalla,
como si fuera el ojo de Dios tocando fondo.

Nieto de San Juan, el jorobado de Solaris,
hijo de Andrei Tarkovski, el jorobado de Patmos,
tú con su misma nostalgia
y la música de las trompetas cayendo entre los ángeles
más allá de la pantalla bajo el fuego
del último minuto.

Eutanasia desde el aire, sollozo y tormento
en la fotografía de los que van a morir
junto a la perra cuya mirada
es de otro siglo: sollozo y crimen.

Locura del jorobado de Patmos, ten piedad
de nosotros
que hicimos de la Cineteca nuestro Santo Sepulcro:
allí seguiremos cavando la fosa
y filmando, por los siglos,
la película de la Resurrección en toda carne
moribunda o ausente.

Será una especie de documental sin límites
o tal vez un video con Richard Wagner en coros:
música de fin de mundo
en la pantalla que cambia de piel
como si fuera una serpiente cuya mirada es de otro
siglo,
locura de Dios en el hijo de Tarkovski
huyendo bajo la lluvia
y el humo que todavía es espíritu
de la veladora encendida en la niebla.

De pronto arde la música en el ojo de la cámara
y San Juan parece burlarse de ti desde otro ángulo.

En memoria del poeta Andrei Tarkovski,
luego de ver su película Nostalgia
donde arde todavía el loco (?)
de Domenico (Erland Josephson)
en un impulso
de autosacrificio universal

DESTELLO DE LOS HUÉRFANOS

Monarquía del cuerpo en los hijos del resucitado,
monarquía absoluta en el instinto de los huérfanos
y este cielo pudriéndose en los ojos de sus vacas.

Reverdecían los ojos de las vacas
en la pradera donde los hijos del huérfano
eran toros a punto de convertirse en muchedumbre.

Vaqueras enredadas en los cuernos de los toros,
monarquía de los huérfanos alejándose del resucitado,
monarquía absoluta en los ojos de la muchedumbre.

Dolor de lo visible y lo invisible,
dolor en el desdoblamiento de lo visible
y la anarquía absoluta en lo invisible.

Dolor en la cabeza del engendrado,
pudridero en el engendramiento de la cabeza
    y su signo,
dolor en las peripecias del engendrante.

Destello de los huérfanos en los ojos de sus vacas,
esplendor desligándose de lo visible
entre los muslos de las vaqueras del resucitado.

Reverdecían los ojos en el desdoblamiento
donde la pradera fue convirtiéndose en el pudridero
de los abandonados a su absolutismo.

Se dibujaba el engullir del cuerpo por la cabeza,
así como el embotellamiento de la cabeza
    por el cuerpo
y desaparecería este cielo en los ojos de sus toros.

Al fin se dibujaba la sed en los ojos del engendrado
y destellaba el engendramiento de la cabeza
    y su doble,
así como el miedo en la ficción del engendrante.

Otoño de 1977, casi

CHILE

Un país con muchos héroes* no es un buen síntoma.
No me pidan explicaciones:
a menudo la Historia es cruel
y no admite explicaciones.

Los héroes, ¿quién lo duda?, seguirán siendo héroes,
pero su heroísmo es la mejor prueba
de que la crueldad aún existe.

Si no existiera el crimen, los héroes
—libres de dolor, de su imagen, de la envidia—
podrían caminar entre los árboles
con la felicidad o la inocencia de aquellos perros
que desde aquí son observados por nuestro hijo
con extrañeza.

Primavera de 1985
en Cuernavaca;
y el colibrí en el aire,
junto a las flores azules

* Me refiero a los héroes anónimos de cada día...

LA VISIÓN OBJETIVA

De pronto, a medianoche,
uno descubre que el alma es inmortal,
pero el cuerpo se burla del alma
y la visión objetiva se complica.

No sabe uno si el cuerpo es razón pura
o si el alma es parodia del cuerpo
que ha sido víctima
de su propia visión objetiva.

Entonces estalla la risa
y nadie sabe si el alma
estuvo alguna vez habitada por el cuerpo
que ahora no acepta la crítica
de su razón pura.

Uno nunca sabe si el cuerpo es parodia
de la razón inmortal
o si el alma es víctima de su propia burla.

De improviso, a medianoche, uno descubre
la impostura del cuerpo
y la imprudencia del alma dispuesta a todo.

Entonces estalla la parodia,
la inmortalidad se aleja
y uno es al fin la única víctima
de su propia visión objetiva.

SUPERSÓNICO EL CABALLO

Supersónico se licua Dios, este Dios
que toma distancia y de pronto viene desde muy lejos
cabalgando, cabalgadura de sí mismo,
dicen que cabalgando como si fuera la madre de Dios
enceguecida, te lo dije, superenceguecida
por las vibraciones de su primer hijo, nunca el último,
sobre las tres o cuatro piedras
del fin del mundo que todavía es un caballo
en su galope más allá de otras piedras ocultas.

No abre la boca el Supersónico, nadie dirá
    yo lo descubro,
pero cómo sonríe desde lejos cabalgando, cabalgadura
que sólo algunos reconocen
más allá de las vibraciones de sí mismo,
dicen que cabalgando como si fuese la madre,
    te lo dije,
superenceguecida bajo las piedras
donde el paisaje se licua totalmente
y no hay un solo testigo que reconstruya la escena
    de Dios
convertido en memoria del primer hijo, nunca
    el último.

LO VIMOS

De nuevo el agua, el espíritu
del que pudo ser Dios
en el vientre del agua:

una vez más, sólo una vez
el vacío del que pudo
y la medusa, lo vimos

la medusa del que pudo ser
en el abismo lleno de musgo,
atrás, atrás, lo vi
en el ojo del agua

y lo veremos arder en la noche
como el espíritu de un ciego
convertido en medusa
que tiembla en el vientre del agua.

De nuevo esa vela encendida
en el vientre del que pudo
ser Dios con la medusa en los labios:

una vez más, sólo una vez
el vacío en el fuego
y un poco de agua.

Nuevamente lo vi, atrás, atrás,
una vez más el ojo

como la llama en la vela.

EL DESIERTO DE LOS MOSQUITOS

Mosquitos fueron las piedras en el camino.
Fuimos, desde siempre, mosquitos como las hijas
    del polvo
abandonadas al dolor de su propia impostura.

—Es el dedo de Dios —gritaban los saltimbanquis—:
no son más que los entuertos del dedo de Dios.

Sea como fuere, sólo mosquitos en estas llanuras
    interminables
donde el cielo no es más que la sombra
    del Exterminador,
y las hijas del polvo sobrevivían burlándose de sí
    mismas
en medio del camino con alguien que les gritaba:

—Lo vi, lo vimos, desde este mundo lo veo
transfigurado en el desierto de los mosquitos.
Todo es en él de Aparecido sin sus labios
y sin las vestiduras de invisible.
Todo es espíritu con sus piedras que se burlan
    de nosotros
como en los días del primer movimiento.
Lo vi cuando los mosquitos se abandonaban
    a su sombra

y dijo hasta pronto, inútiles,
tal vez nos veamos en el otro mundo.

—Es el dedo del hijo de Dios —dijeron
los saltimbanquis—:
sería bueno que descendiéramos al cielo de los inútiles
para ver cómo solloza el Exterminador en medio
del camino
con esas piedras abandonadas al dolor
de su impostura.

Sea como fuere, sólo mosquitos en el desierto
donde la única realidad es esta lejanía
o de repente la transfiguración de las hijas del polvo
que gritaban lo vi, lo vimos, desde el más allá
lo veríamos
alguna vez en los labios del Aparecido con su cara
de inútil
o de invisible queriendo burlarse de nosotras
como el dedo de Dios
en los días del primer movimiento.

Primavera de 1977, y esa lluvia
que aún cae del sol

INSTRUCCIONES PARA JULIO CORTÁZAR

Allá en el fondo está la muerte, pero no tengas miedo:
el precipicio del reloj es un árbol lleno de hojas
y tú eres tan libre como para morir
—"si no corremos y llegamos antes"—
o resucitar de la risa en aquel precipicio.

Allá en el fondo no hay nadie, te lo aseguro,
aunque la sombra
de una mujer se desliza en dirección opuesta
a las manecillas del reloj,
desplegando sus hojas
como si fuera un espíritu lleno de plumas.

Allá en el fondo hay ojos de lechuza,
pero no te levantes:
nunca llegaremos a saber a qué rostro pertenecen,
y de pronto cierras los párpados
en dirección opuesta al reloj imperceptible
como en una edad anterior al descubrimiento
de los ojos.

Allá en el fondo está la tierra, ¿me oyes?, el júbilo
del agua después de la muerte:
pero no temas porque no hay fin o principio, nadie
muere,

nadie nace y todo existe en el deseo
donde cada reloj es un precipicio que sólo avanza
en dirección opuesta a las manecillas de sus víctimas.

Allá en el fondo se agita la sombra de Julio Cortázar,
    pero no tengas miedo:
abre al fin los párpados bajo la mirada del árbol
cuyas hojas son tan libres como para morir
—"ahora me despierto, somos una familia rara,
    ¿qué más quiere?"—
o resucitar de la risa en el precipicio de Buenos Aires.

Allá en el fondo hay un zapato, unos dientes
    muy finos, un paraguas, pero falta
    lo más importante:
tu cadáver lleno de ojos es tan libre
    como para no morir
en la palpitación de los relojes que sólo se deslizan
en dirección opuesta a las manecillas de la mujer
    llena de plumas
como en una edad anterior al descubrimiento
    de la muerte.

LA ENFERMEDAD

Chile no es un país:
es una enfermedad
de la que nadie podrá curarse
sin alguna forma de mutilación,
cuando llegue el día.

Chile fue decapitado
y el renacimiento no será fácil
a partir de aquellas cabezas que miran desde lejos
y no pueden creer que la enfermedad
sea todavía incurable.

A veces la enfermedad es un mal menor.
¿El Mal necesario?

Invierno de 1979

ESPECTÁCULO DE LAS RANAS

Claro que te burlaste de todo, gritaban las ranas
y Elohím se mordía los labios
con sus dioses riéndose en el bosque
donde los árboles no eran otra cosa que sapos
trepando sobre sus ranas en un espectáculo
    enternecedor.

Había mosquitos burlándose de todo,
    iba repitiendo Elohím
bajo el temor de sus dioses y la lengua de sus árboles
donde no hubo más que sapos y serpientes
que huían de otros sapos y serpientes
    en medio de las llamas.

Fuego en el vientre de Elohím, repetía Elohím
sin que ninguno de nosotros se diera cuenta:
incendio entre los mosquitos
que palpitan sobre la lengua de Elohím,
    gritaban las ranas
y hasta hubo sangre en las hojas y en las piedras.

Claro que te burlabas de lo que fuimos,
    sufrían los sapos
subiéndose a sus ranas de modo cruel:
desvarío en las leches de Elohím bajo esas lenguas

donde a menudo vuelan los mosquitos
ensangrentados junto al temor de los árboles.

Ranas y sapos que suben y bajan por las lenguas
  de Elohím
con sus dioses burlándose como simios en el bosque
donde los árboles no son otra cosa que árboles
cuya virtud es trepar sobre sí mismos
en el momento en que Elohím muerde sus labios
y no dejará de morderlos hasta el último día.

Por supuesto que te burlabas, repetían las serpientes
junto a sus dioses que vuelan como mosquitos
ensangrentados bajo las lenguas de Elohím
trepándose a sus ranas de modo inverosímil
y lejos de los árboles extinguidos
  en su propio movimiento.

Otoño de 1977, luego
del alumbramiento:
luz de ranas en Tepoztlán

HISTÓRICA RELACIÓN
DEL VUELO DEL RÍO MAPOCHO

Del espíritu de los muertos nació algún día
    el río Mapocho
que una noche, bajo la protección de un disfraz
    indescriptible,
se infiltró en las turbinas del avión de Aeroméxico,
a la manera de un interminable rollo chino.

De ese modo pudo llegar al aeropuerto Benito Juárez
y desde allí se deslizó de inmediato hacia el Pico
    de Orizaba,
pasando por el Iztaccíhuatl y el Popocatépetl.

Debo confesar que rápidamente le perdimos la pista,
pero se sabe que las aguas del Mapocho,
desenrolladas de su disfraz que Dios les puso
    en Santiago de Chile,
no dejarán de subir como cabreros hacia la montaña
y todavía llevan en su cauce el alma de las víctimas
    de 1973.

Quienes más saben de estas cosas,
aseguran que a través del Pico de Orizaba
    el Mapocho llegó al cielo
donde otros espíritus lo han visto pasar
en forma de avión a turbohélice,
lloviéndose por los cuatro puntos cardinales.

LA SOMBRA

1

Es el invierno de 1911, lejos de Inglaterra,
y en esta edición de la *Enciclopedia Británica*
soy una sombra que no puede distinguir los colores:
diariamente me visto de azul, un traje azul oscuro
y una corbata de líneas azules.
En mi bolsillo hay un reloj de plata
con números romanos que no alcanzo a ver.
Cuando era más joven me gustaban las corbatas
    amarillas
pero ahora no, mi sombra permanece inmóvil
y hasta ese color me ha sido negado.
A veces, cuando sueño, los colores son intensos
y podrían volverse insoportables:
soñar es algo hermoso y terrible.

Ahora he vuelto a quedarme solo.

2

Dos veces a la semana estoy perdido en un laberinto.
De pronto me atacan los enanos
y trato de quitármelos de encima pero es inútil:
soy una sombra que agoniza muy lejos de Londres
y aunque levante la cabeza no puedo hacer nada.

Soy una máscara de carnaval frente a un espejo
y trato de arrancarme los ojos pero hace mucho frío:

si logro sacármela podría ver un rostro
desfigurado por la lepra.

3

Me mantengo repitiéndome a mí mismo:
es difícil que un anciano pueda ser fiel a su imagen.
Me aburro, no me aburro, ¿en cuál futuro
seré mi propio enemigo?

En el cementerio hay un reloj, pero el tiempo
 se bifurca
y nadie podrá saber si ese reloj es fiel a su imagen.
Por ahora yo me dejo vivir
para que esta imagen descubra la zozobra
o se fortalezca en su infidelidad.

Pero, ¿qué se puede hacer?
Ya es tarde, ¿no?

4

Sobrevives con Fanny, tu mucama, y el viejo gato
llamado Beppo el Inmóvil,
en honor a un personaje de Lord Byron.

5

Inglaterra ya no existe, Beppo desaparece
y la sombra camina por las calles de Buenos Aires.

—¿Es usted Borges? —le pregunta una mujer
con un paraguas, y él responde:
—Sólo a veces.

VISIONES DEL VENTRÍLOCUO

1. Humo

Humo es el espíritu. Pero arde.
Comedia es el humo. Pero arde.
Humo es el espíritu
de la comedia.

Y este incendio
no es juego de palabras.

2. Desde la cuna

De vez en cuando me veo en la cuna:
tú eres un pelo en mi cuna, me digo;
tú eres la visión de un pelo en mi sopa.

¿Y qué piensa el pelo?

No piensa nada: nadie piensa en él
porque es auténtico, veraz
como todo pelo de enano en su cuna.

De vez en cuando me desaparezco
y ni siquiera soy la sombra
de un enano en el agua:

desde aquí puedo reírme
aunque nadie sospecharía
que un pelo es otro abismo.

Desde afuera no hay visión:
la única visión es el vacío,
la comedia en el pelo de esta sopa.

3. Círculo de los espíritus

Un hombre ve espíritus.
Otro escucha voces, juraría que ha visto
al hombre que sólo ve espíritus.
Un tercero se despierta entre las voces
y aparece corriendo en el Estadio Nacional
de un país desconocido.

No es un estadio, sonreía el primer hombre.
Quizá el Hospital Psiquiátrico, tiembla el segundo.
Y el tercero despertaba en el círculo
de los espíritus
y aparecía corriendo en las catacumbas
de un país desconocido.

4. El juego de rodillas

Me desconcierta que dejes de ser
mujer por los tobillos
y te vuelvas insecto por las piernas
y finalmente el juego de rodillas:
las arañas, las arañas, las arañas

y el pelo enculebrado.

5. El peligro

Eres tu espejo deformante.
Lejos de ti, lo real es invisible.
Eres, por último, tu espejo ilusorio.

Toda imagen es un peligro.
Más allá de sus límites,
la materia se estremece.

6. El recorrido de memoria

Supongamos que la sangre
se sabe el recorrido de memoria,
lo cual es dudoso
pues la memoria se vuelve líquida
y la sangre abandona su recorrido
sin que nadie descubra
si por descontrol o desconsuelo:
a menudo se trata de una memoria casi evanescente
que no puede más con tanta cárcel.

Supongamos que en este natal país de nadie,
los murciélagos me acompañan
y sangrientos descubren el recorrido de memoria
como si nuestra cárcel estuviese a punto
de explotar en esta mímica que nos transfigura
cuando únicamente somos líquido
esperando la medianoche.

7. Un insecto en la mano

Desarticulo este reloj despertador
para saber qué es el tiempo,
pero algo me sucede:

no podría decir lo que se siente en esta circunstancia,
soy incapaz de desarticularme hasta descubrir
el soplo del origen
donde todo fenómeno se vuelve intransitivo.

Más allá del reloj, el tiempo no despierta
y es un insecto no siempre visible
sobre la palma de mi mano.

8. Historia de un dibujo

Una mujer desnuda aparece en el dibujo
que la mano entrelaza con alevosía.

La mujer solloza, la mano tiene ojos
y sonríe, simula que duerme y sonríe.

De pronto el desnudo se arrodilla
y prende fuego al papel
con la figura de la mujer adentro.

No se oye un solo grito
y el incendio ocupa todo el escenario
donde el dibujo es la sala de torturas
para la habilidad de esta mano implacable.

9. Epitafio de doble fondo

En aquel ataúd de segunda mano
que ustedes ven a lo lejos, entre los almendros,
sobrevivo más o menos yo, resucitándome
de la risa en este sepulcro
de color balsámico, amarillo como Dios,
amarillo casi rojizo como el Primer Comediante
en su carácter obsesivo.

En aquel ataúd de doble fondo, bajo la lluvia
y acosado por las raíces de los árboles
que se burlan, pudriéndose,
sin saber por qué se burlan.

Almendros que ustedes ven a lo lejos
y este sarcófago donde la comedia
no tiene principio ni fin.

10. La respiración

En tiempos de crisis,
lo más recomendable es mantener la calma
y no respirar por la nariz
ni por la boca.

Después de un detenido análisis,
hemos descubierto que la respiración
es el opio de los pueblos.

También podría convertirse,
de la noche a la mañana,
en un acto sedicioso.

11. Eva

Lo triste es que ya no se puede
escribir sobre el bien

porque el bien ya estuvo escrito,
algunos dicen que el bien
ya estuvo escrito

y una manzana agusanada
subía al reino de los cielos.

12. Llantas

Sobreviene la tragicomedia
cuando siente que Dios, embarrado,
grita —Ven a mí, Eva, no tengas miedo—

desde el interior de las llantas
y con una voz reducida lascivamente
a dar vueltas en medio del camino.

13. Renacimiento del mamut

Del útero de mi elefanta
resucitará el mamut algún día.

Como ingeniero genético se los aseguro
desde el vientre de mi elefanta.

Del soplo de mi elefanta
resucitaremos algún día.

14. Pañales

Los pañales de un hijo de dos meses
le quitaron a usted la inclinación a los sedantes.

Yo la miro a los ojos a la hora del ángelus,
cuando desde el sol escucho el paso de los trenes

y usted tiene la misma sonrisa de viuda alegre
del inolvidable Bertrand Russell.

15. Historia Universal

Nunca supiste leer ni escribir.
Todavía no sabes cuál es tu nombre.

De la Historia Universal no sabes nada
y la respiración es idioma de ultratumba.

Nunca aprendiste a cerrar la boca.
Todavía no puedes abrir los ojos.

De la Historia Universal has aprendido
que el dolor no es privilegio de unos cuantos.

Sería conveniente que no leas ni escribas.
Nunca llegarás a saber quién respira mejor.

16. Mozart

—Tu padre se nos muere —dijo Ofelia.
Todo sucederá cuando su alma lo abandone.
Al fin del camino, toda levitación es amarilla.
Al fin del camino, toda boca es un caos.

Y bajo la lluvia mi madre se besaba
con Mozart, se besaba y se besan
detrás de la puerta de la clínica,
frente a la sala de operaciones

y sin guantes, con algo de temor
y sin torpeza en los guantes
que una mano deja caer sobre la alfombra.

17. Lentes de contacto

Me ponga o me quite
los lentes de contacto,
ya nada es muy preciso.

Guadalupanamente hablando,
casi todo es Ilusión Óptica.

18. Como el agua

Nuestro amor fue como el agua
que en la noche se bebe a sí misma.

Nunca olvides que fuimos como ese árbol
cuya sombra desapareció en el agua
donde sólo habitan los insectos

que todavía saben de nuestro amor
en la noche de las transfiguraciones.

19. Ciegos

He aquí el lema
de la Sociedad Internacional de Ciegos:

Como te ven, te tratan.

De eso puedes estar seguro.
Como te han de ver ahora
y siempre.

Ojo
con ojo, diente
por ojo, hasta mañana.

20. Hasta el cogote

No moriré en París, putilla del sabor helado.
¡No moriré con agua, cerdos!
Anda, putilla culta, vámonos al diablo.

No moriré en París con agua al cuello.
Hundido hasta el cogote en la película,
soy de Tampico y no moriré, putilla cursi.

21. Polvo la fiesta

Absoluto de mal agüero.
Mago de mala muerte.
Alquimista de mal agüero.
Mala conciencia de mala muerte.
Poetólogo en absoluto, pitoniso, poetilla.

Soplo total: polvo la fiesta del monoludens.
Absoluta carne total: polvo de mala muerte.

22. Mañana resucito

Entonces me hice Vallejo,
vendedor viajero de tristumbre,
palo y cogollo, palo y cogollo.

Y en eso estoy
cuando todos sin que él les haga nada
me suplican que mañana resucito:
cae jueves, dirán que todavía cae jueves
también con una soga.

Del cuello al hecho hay un desliz,
no hay mucho por delante,
me tiranizan al oído.

Y yo que nací en París, dirán algunos,
ya ni me acuerdo, salvo esa leche
de Santiago de Chuco y la lluvia
que sigue cayendo desde aquel día.

23. Caníbal

Si te burlas de la Historia,
la Histeria no te absolverá.

No se trata de un axioma
sino del nacimiento de la duda
que hace de todo axioma
una ficción saludable.

Si te burlas de la Histeria,
la Historia te colgará sin humor
en este paisaje de lágrimas

donde cualquier crimen resulta divertido
y hasta dan ganas de volverse caníbal.

24. Qué bella eres

Ella —que siempre soy yo—
se acaba de levantar del ataúd
convertida en algo más que un cadáver.

—Eres bellísima —le digo con lágrimas.
¿Por qué no te vienes conmigo

del brazo al altar,
como en los buenos tiempos?

Ella —que no siempre soy yo—
se burla de mí
con la punta de su lengua
y vuelve al ataúd
sin que yo pueda tocarla.

—Qué bella eres —le digo entre risas
de humor venido a menos.

25. Perros y pulgas

Las pulgas muerden a los perros.
Los perros pican a las pulgas.

Las pulgas ladran de felicidad
en el instante de morder a los perros,
y los perros sollozan
en el instante de dar comienzo
a la picazón de las pulgas

hasta que Dios pierda su equilibrio
y ordene, rabioso, lo contrario.

26. El vuelo

Su nombre científico es intraducible:
dicen que aún se llama Lavín Cerda
y es hijo de Julio Lavín Cayuso,
un mercader de origen árabe
que fue ornitólogo por su cuenta
y cultivó la quiromancia.

Actualmente dicen que nadie lo ha visto
porque nunca llegó a vivir
más allá de la imaginación de su padre
para quien sólo es un pájaro
a través de cuyo vuelo es posible
que Julio Lavín Cayuso, el judaico,
cultive al fin la ornitomancia.

27. La caricatura

Nuestra caricatura se desliza
por la página en blanco
y es un soplo entre dos infinitos:
el de la imagen que la sostiene
y el de su inevitable disolución.

De pronto se desintegra la línea
que configura estas visiones
y la página es un agujero
por donde caemos hacia la oscuridad
con alegría y pasión matemática.

De repente, nuestra caricatura es luz.

28. El viejo

Ya eres viejo y no debieras arrepentirte.
Cada día sale el sol entre las nubes.
Ya eres como un pájaro, el cielo y los árboles.

Recuerda que los viejos son el futuro de la patria.

29. Una vaca apareció en el horizonte

Este buey que aquí descansa
se divertía imaginando
la mayor cantidad posible de posibles.

Una vaca rojiza fue su perdición:
imaginándola, imaginándola

hasta que el desenlace del documental
pueda ser filmado en este manicomio
donde todos estamos felices, vacas adentro.

30. De la virtud

Aún tengo el defecto de mis virtudes,
sonríe Dios mirándose al espejo:
—Dolor de parto de la mente, eso fuimos,
falta de pudor de la inteligencia
inocente o estúpida, cómica o estúpida.

Todavía tienes el defecto
de la virtud que no se contradice,
digo mirando su sonrisa
en el ángulo volátil del espejo:
—¿Falta de humor de parto de la mente?

Hemos llegado al final sin darnos cuenta
y Dios empieza a contar los minutos
de una manera regresiva.

31. El vencedor

Jugué contra mí, sin entusiasmo,
y sin embargo he vencido.

Ahora contemplo el mar con indiferencia.
Congénita es mi vejez, no cabe duda:
como esa ambigüedad que me ilumina.

32. Desnudos

Aun yo, desnudo, sigo a Cristo desnudo:
no soy cátaro ni valdense,
no cultivo la desvergüenza
y sólo pertenezco a la herejía
de la desnudez original,

cuando los sabios hablaban
con las primeras aves del cielo
y hasta Cristo sonreía con su cara de sonámbulo
como si fuera un hereje arrepentido.

33. Paleologos

No hace mucho he descubierto
que mi cama navega o descansa sobre la concha
de un monstruo marino con tres ojos.
Aún puedo sobrevivir en esta región tropical
y la mía no es una fiebre perdurable.
Me llamo Rudecindo el Astuto
pero me dicen Paleologos, Paleologos del Sur,
y nunca he sabido por qué, me da igual,
    no me interesa.

Sólo quiero que el monstruo permanezca inmóvil
hasta que llegue el último día.
Pero si empieza a moverse sin ningún equilibrio
y agita su cola enterrada secularmente
    bajo su carapacho,
entonces no podré recuperar la astucia
    que aún me falta
y moriré de miedo, sin tranquilidad,
luego de perder la memoria hasta el fin del mundo.

34. Enemigos

Ya no hay enemigos como los de antes.
Los de hoy no te miran
ni te hablan.

Son de pésima calidad, humanamente.

35. El rostro del abuelo

De pronto viene la lluvia sobre el mar:
lluvia muy fina que no se siente,
visión de pájaros o moscas
que celebrarían la quietud.

Y más allá el rostro del abuelo
que murió hace diez años
bajo esta lluvia:

un rostro cubierto de moscas
que ahora cubren los cables
del trolebús amarillo

cuyo deslizamiento es hipnosis
frente a la utopía del mar.

36. Cambiarle al peinado su sentido

Es recomendable peinarse al revés
para cambiar el curso de los pensamientos.
De otro modo existe el peligro
de que nuestras ideas se petrifiquen
sin que nunca podamos saber quiénes fuimos.

Es recomendable peinarse al revés
para cambiar el curso de los acontecimientos.
De otro modo existe el peligro
de que estalle la guerra nuclear en nuestra cabeza
donde cada pelo es un poco de cerebro
a punto de arder.

37. Ventrílocuo

Cómico de la lengua,
solemne y cómico:

ni poeta de ayer
ni de mañana:

ni antipoeta de hoy
ni de pasado mañana:

sólo ventrílocuo tartamudo,
sólo carnívoro que a veces llora.

LA ESPIRAL DE TU ROSTRO

LA CANCIÓN DEL SERAFÍN

Déjame, déjame: si no me dejas
seré tu tuerto, seré tu gato de aserrín.

Olvídame, olvídame: si al fin me olvidas
seré tu tuerto doble, seré tu loco serafín.

La mujer del hombre es loba, de Luxemburgo
  a Bombay.
No había transcurrido un segundo y mi niña
  lanzó un ¡ay!

Ayayay, estornudó mi niña entre las lágrimas
  y el vino.
Ayayay, estoy desnudo, bostezó el serafín
  sin ningún tino.

Protégete de lo oscuro con lo oscuro, cuídate
  de toda intensidad.
Pero cayó el rayo, se hizo tarde, y mi pobre niña
  perdió su virginidad.

Qué noche tan horrible, tan horrible y tan sola.
  ¿Qué se hizo Dios?
Sólo recuerdo que llovía y, después de la culebra,
  tristemente lloramos los dos.

EL AMANTE

Busco el amor, tendido, de pie
me persigue el cadalso del amor,
su suntuosidad cadavérica, su ritmo
clásico, su pureza enervante.

Gallardo, busco su oro inalcanzable, de rodillas
me acosa el cadalso del amor, su guillotina
clásica, la suma de su memoria
donde se pierde el tiempo humano.

Soy el durmiente, el difuso, el inasible, de perfil
se muerde asiduamente el cero del amor,
la impureza de su impulso, su polvo,
o quizás aquella sombra desde donde nadie vuelve.

Soplo el amor, lo reúno, tiemblo, temerario
navego en su agonía, de pie, junto
a esta piedra donde el amor hunde sus flechas,
su quemadura, su fiesta, el entusiasmo de su deuda.

TIENES LA POTESTAD DE UN ESTADIO OLÍMPICO

No como Domenico Modugno que tal vez te miente,
heroica te miro de espaldas
y por el espejo tienes la potestad de un estadio
olímpico,
su llama recurrente, la pista de cenizas
como uno de los ombligos de Buda,
el de color malva, y el eco
de las víctimas del Circo Romano
donde aún fluye la cólera de león contra leona,
y me pregunto si la del espejo eres tú y te deseo
con un deseo nuevo que me atormenta.

—No sé por qué me hablas de Buda
—dice la muchacha con algo de picardía.

—Pronto lo sabrás —le digo sin abrir los ojos—:
cuando llegue el verano y al fin descubras
el verdadero color o más bien el pulso
que se esconde bajo tu ombligo.

Abril de 1976

CON MÚSICA DE CLAVICORDIO

Y escuchábamos, más allá de la sangre, en el jardín,
la viscosidad del trueno entre las lilas.

Ahora recuerdo que tú sangrabas por la nariz
    como una loca
y yo ejecutaba, sobre el clavicordio de juguete,
la simulación del Vals de los Vampiros.

Ahora recuerdo que al fondo se escuchaba el miedo
de la vaca acercándose a los ojos del toro
y las abejas, sin colmena, eran como terneros
    extraviados
en los últimos días de aquel invierno con poca lluvia.

Ahora recuerdo que yo mordía mis labios,
pero en cada mordedura tú gozabas como una loca
mientras oíamos la música del Vals de los Vampiros
en el clavicordio de juguete.

Y escuchábamos, más allá de la sangre, en el jardín,
la viscosidad del trueno entre las lilas.

EL ÚNICO VICIO

Aunque tú no seas una viciosa de nacimiento,
recuerda siempre que la belleza
es acaso el único vicio de la forma
que valdría la pena cultivar en estos años.

Recuérdalo y no me olvides, amor mío.
Reconóceme en este baile de máscaras.

EL TIEMPO Y LA NOCHE

1. El trigo

Hasta los veinte años
tu cabellera fue como una aldea de trigo negro,
aplastada por el viento y por mis manos.

Hasta los veinte años
la aldea estuvo siempre inclinada.

Fue la edad en que el trigo oscuro
crecía al fondo de mis ojos.

Cuando el tiempo, antes de seguir su camino,
detenía sus caballos y sus nubes
y se iba solo a caminar:

—Esta noche traeré lluvia,
está muy inclinado el trigo.

2. El grito

Al fin te deslizas
como una yegua durante el mediodía.

Al fondo está el pozo, el cielo,
el pozo en las aguas del cielo
y los álamos, como siempre, detrás de la lluvia.

Un caballo tiembla y tú eres la única testigo
de su muerte al final de la primavera.

Entonces se oye un grito, se te caen algunas frutas
sobre la pequeña mesa de color azul
y odiosamente te unes a mí

con algo de asombro y de amor
desde las amapolas.

3. Eres como el mediodía

Eres blanca
Eres roja

Es así el mediodía
sobre el campo
con algo de comedia
como ese antiguo colibrí
que picotea en su propia sombra
a través de los años

Es así el mediodía

Es rojo
Es graciosamente blanco.

4. La puerta

Tanto tiempo como el amor:
tanto tiempo

entre una puerta
                    y la noche:
tanto
amor entre el tiempo
                         y la noche:
tanto silencio como el amor:
tanto amor
              entre una puerta
                              y la noche:
tanto amor para tan poco tiempo.

5. Para que tú veas el mundo

He de quedarme sobre ti
como se queda el águila sobre el nido.
He de contarte cómo son de tibias
las palomas en las noches.
He de besarte
como muerde el pájaro a las cerezas.
He de llevarte a un país de greda oscura.
He de volverte de arcilla los ojos.

Sólo entonces verás el mundo
como dos vasijas juntas.

6. La luz a punto de arder

Están aquí los libros:
                         la debilidad
de la luz a punto de arder,
la pantalla de papel rojo
y el jarrón chino que tú tocabas
como si fuese la boca de un tigre.

Todo está aquí, cerca de la ventana azul:
las odas junto al diccionario,
el pañuelo de seda
unido a la palabra constancia,
el fracaso entre los helechos
y aquellos buitres que vuelan en círculo, amor mío,
como si recién te hubieras muerto.

7. Esos zapatos

Esos zapatos tuyos
tan cómplices y violentos:
como si bajaran de la montaña,
como si hubieran salido de un pantano.
Esos zapatos plomos tan llenos de pena.
Esos zapatos cansados que tú abandonas
después del mediodía.
Esos zapatos tuyos
con tan violento sonido de campanas.

Esos zapatos tuyos
de los que tanto nos reímos.

8. Diluvio

Tú fuiste la primera
en abandonar el Arca en el Diluvio:
te vi aparecer en tierra firme, húmeda hasta el alma,
te vimos aparecer atrás, atrás, detrás del aire
junto a pájaros silvestres
y corderos acostumbrados a ser ángeles.

La esquiva sombra de Noé
quedó flotando lejos:
atrás, atrás, detrás del agua.

9. Consulta privada

Otorrinolaringólogamente
nos fuimos besando con furia casi mística.

Y más allá de oídos, nariz y garganta,
el Abismo se abrió como un sepulcro
lleno de cal viva.

10. La seducción

Llegó con los calzones en la mano
y me pidió que le mordiera la cintura.

Después del hilo de sangre
me preguntó ¿dónde está el alma?,
no me hagas sufrir, ¿dónde está el alma?

—Más allá del río —le dije sin abrir los ojos.

11. La sombra

Cuando llegó la noche, de rodillas
me puse a pensar en tus piernas
y ya no fue posible escribir un largo poema de amor
como los que se escribían
durante los años del cine mudo.

Además, creo haber visto la sombra
de Albert Einstein
paseándose, deslumbrada, por la terraza de baldosas
oscuras.

12. La muchacha de azul

La más flaca muchacha que vive en esta calle
tiene un telescópico cuello que aterra.
Se viste de azul, nórdicamente, y semidesnuda
me viene a ver para decirme
que la idea del cielo ya no existe
y que el espacio sólo ha de ser espacio
mientras resista el peso de los cohetes,
el deseo a primera vista
y el carácter siempre ambiguo de los cosmonautas.

—¿Por qué no cambiamos de tema? —le digo
sin abrir los ojos.

13. Los novios

Plinio se cae del caballo
entre el vuelo de las moscas verdes.

Abajo está la mesa, pero la novia de Plinio
piensa en la mala compañía de las sillas.

Nadie quiere pasar al comedor:
han servido huevos, únicamente huevos
y el novio pide un poco de sal.
—¿Dónde está la sal? ¿Quién escondió la sal?

Fresia sonríe
y la sal inicia el viaje
alrededor de la mesa de caoba:
la distancia ha sido cubierta
entre los tenedores, las cucharas y los cuchillos.

El caballo estornuda,
las moscas vuelan en sentido inverso
bajo las patas del caballo que de nuevo estornuda.

De pronto, Plinio solloza:
—¡Moscas, moscas, moscas entre los estornudos
de Fresia y su lengua amarilla!

Desde el comedor alcanzo a ver los muslos de la novia
y me parece que el novio es injusto
porque ella no estornudó en ningún momento.

"Quisiera salir de aquí", pienso junto a las sillas:
quisiera salir y el caballo se aleja
entre el vuelo de las moscas verdes.

14. El día y la noche

El día distribuye almendras,
mezcla nueces y castañas.

El día disuelve en el aire
la última migración de los pájaros
y el último sonido de las flechas.

El día comienza con el otoño
en el sur de América:
aquí lo único real es el otoño
y la noche prolonga el espíritu del día,
sólo en la noche se organizan las nubes.

Alguien tiembla bajo los árboles:
alguien distribuye almendras
y sigue temblando bajo los árboles.

Al fin viene de nuevo la oscuridad
con la desorientación del viento.

Y cuando tú miras hacia el oeste,
el día ha pasado a mejor lluvia.

15. Juego de naipes

En cada una de las cartas
que Alguien deja caer sobre la mesa de cedro,
se nos aparece la espiral de tu rostro
dibujada al azar, como en los tiempos antiguos.

TRES MUJERES

Una mujer obesa te descubre y sonríe
después de agitar, pícara, pícara, su ojo de guacamaya
al modo circense: rabo con temperamento.

Otra mujer obesa te descubre y sonríe
después de agitar, onírica, onírica, su rabo
de guacamaya
al modo circense: ojo con temperamento.

Una tercera mujer obesa te descubre y sonríe
después de agitar, mítica, mítica, su dulzura
de guacamaya
al modo circense: melancolía con temperamento.

A la primera, por venganza, le sollozo.
A la segunda, por piedad, le digo una mentira.
A la tercera, por amor, le muerdo los labios.

Valparaíso, 1967,
escuchando la lluvia
desde aquel sótano...

MONÓLOGO DEL ESQUELETO

Dominio de los reyes, nada queda:
ni el miedo de esta lengua
cansada de vivir bajo tu lengua,
ni estos ojos entre tu corazón y el nuestro,
ni estos labios inútiles, ni la lluvia, ni esta lámpara,
ni soberbiamente estos labios que perdieron
    su orgullo.

Dominio de los reyes, todo ha muerto:
ya no puedo mirar las cenizas del verano,
nadie puede hundir sus uñas en el fuego,
ya no deseo salir del pozo, ni tampoco la lluvia,
ni clandestinamente la noche huyendo
    de esta lámpara,
ni estos dedos cuyo vértigo destruye la locura
    de tu lengua.

Dominio de los reyes, nadie dará nada por tu astucia:
la luna extraviándose entre los abedules,
la algarabía del halcón sobre los ojos del cangrejo,
y el pudridero, la humedad, la mansedumbre
    de las bestias
donde se unen lo invisible y lo mamífero,
estas manos mías perversamente ambiguas.

Dominio de los reyes, leche ociosa:
soy esta ruina, soy lo suntuoso de este esqueleto,
tal vez seré como el asco de la divina dulcedumbre,
no hay lluvia, no hay pozo, no hay lámpara,
ya no existe el miedo de esta lengua
cansada de morir bajo tu lengua.

ULTRATUMBA

Después de tantos años, sólo crees
en la democracia de la vida de ultratumba
donde se supone que no existirá, tumbas adentro,
la explotación del hombre por el hombre.

Pasan los años, después de tantos, y la muerta
se subirá al cadáver de su muerto:
emplumada se sube, amorosa o suspicaz, culebreando,
y lo besa en los labios, ya sin miedo, lo besa con júbilo
y de pronto le muerde la lengua, ven a mí, se la muerde
hasta la consumación de los siglos.

—Qué falso es todo, amor mío —solloza la muerta
    y sonríe
después de quitarse lentamente las medias—:
qué falso, no te abandones, nunca te dejes morir,
    no me abandones,
qué falso y hermoso es todo esto.

—Qué final, Dios mío, qué final —suspira el cadáver
    bajo la lluvia
y va respirando con la inocencia de un mamífero
que recién ha descubierto el amor, aquel amor
    de siempre,
en la democracia de la vida de ultratumba
donde se supone que no existirá, tumbas adentro,
la explotación del muerto por el muerto.

EL HOMBRE DE LA JOROBA

El hombre, ya con joroba, cruzó el umbral
    del prostíbulo
y dejó su bastón junto al cuerpo
semidesnudo de Amarilis,
mejor conocida como La Turbulenta.
Pasaron varios minutos, la lluvia del trópico
seguía cayendo sobre las iguanas, los pericos,
y el hombre muy pálido se puso a llorar.

A la mañana siguiente, el hombre, ya medio calvo,
cruzó el umbral del prostíbulo
y dejó su sombrero junto a los muslos de Amarilis,
mientras la lluvia del trópico no se interrumpía
y el hombre, apoyado en el bastón, se puso a llorar.

Al tercer día, el hombre de la joroba
cruzó el umbral del prostíbulo
y luego de percibir el origen de la tristeza
en el pubis de Amarilis,
dijo con lágrimas en los anteojos:

—Es mejor ser dentista que oculista,
pues la mujer tiene sólo dos ojos
y treinta y dos dientes más allá del Monte de Venus
donde la risa y la muerte se confunden

hasta que son al fin la misma cosa.
Nunca olvides que los viejos desconfiamos
    de la juventud
porque algún día fuimos jóvenes.

Por ahora cúbrete el ombligo, muñeca, y recuérdalo.

UNA FUNCIÓN DE AMOR EN LA CALLE DE LOS TATUAJES

De pronto has vuelto, casi desnuda, a la desnudez
del origen:
más de quince años sin tocar fondo
y otra vez la cueva de Matucana, esa perturbadora
calle
de los tatuajes
con la melancolía pegada a las orejas
—aunque parezca increíble—
de los gatos encima de sus gatas deslizándose
por la escalera donde la oscuridad es cruel,
además del olor insoportable, la humedad
o la herrumbre
de los gusanos que se descuelgan del pico de sus loros
como flores malignas.

Departamento para recién casados:
cuadrilátero en miniatura, digno de una neurosis
menos enfática y más elegante.
Artimañas en el ocio del caníbal
y el nudismo de la bella con su rencor, su sed
y su apetito:
sólo ruinas de una retórica amorosa entre medias
de seda,
ese liguero azul, la comedia o el asombro
del pezón reflejándose en el vaso de vino
y la zozobra del crucifijo de oro.

Al fondo el taburete forrado con piel de tigre
como reminiscencia de la función del circo *Las Águilas*
Humanas,
que diariamente habría de comenzar cuando uno llega
y se quita los guantes de gamuza, los calcetines
que alguna vez fueron rojizos, amameyados,
los calzoncillos de color verde Nilo
y el escapulario con el rostro del Sagrado Corazón.

Nunca dejará de llover sobre la calle de los tatuajes
y el tatuado se descuelga
de la bella como el gato
de su fiebre
o la memoria de su gata,
mientras el gusano mayor no sabe qué hacer
con el pico del loro
pudriéndose como una flor maligna.

"Casi estoy muerto —piensa el tatuado con su cigarro
encendido—:
ya ni el canibalismo podría redimir a nadie
y poco a poco hemos vuelto al carnaval del origen."

—No pienses tanto —bosteza la bella sin abrir
los ojos—:
si sigues así, pensando y pensando, te vendrá
la locura
como al gato el sueño cruel de su gata.
Será mejor que te pegues a mis orejas con melancolía
y no te derrumbes, no me hagas daño.
Recuerda que soy la futura presencia de tu neurosis
nupcial
y todo está por verse, ¿me oyes?

Pero nadie responde, sólo se escucha el rumor
 de los gusanos
en el pico de sus loros
y al fondo puede verse el cuadrilátero
donde una sombra se ríe, no deja de reírse
cuando intenta ponerse los calzoncillos
aunque su estrategia resulta inútil.

Entonces la bella levantas sus brazos, lo mira
 con lástima
—como perdonándole la vida—
y se vuelve a dormir sobre la alfombra.

ARQUEROS JAPONESES

Expiración, aspiración, expiración
y yo hacía lo mismo, hacíamos
lo único
mientras mi mano respiraba:

tú y yo éramos
como los arqueros japoneses
durante el vértigo de la competencia:

una flecha en el pubis
y otra en el puño, una flecha
y hacíamos lo mismo, la misma flecha
y siempre lo único en el centro del gran ojo,
más allá de la medianoche.

Movimientos de una respiración permanente.

EL ENVEJECIMIENTO

De no ocurrir nada extraordinario,
el envejecimiento en la mujer
es menos piadoso que en el hombre:
los pezones se pudren como nariz de payaso,
la piel del cuello se descuelga
y es el pergamino donde una mano anónima
puede escribir una elegía eternamente inconclusa;
la lengua perdió sus labios, la boca
es una simulación que a nadie beneficia,
los ojos no ven lo que han visto, se ciegan
más allá de sus párpados como telarañas
    interminables
y el pubis es el espacio de la tragicomedia:
Monte de Venus como doble papada,
la misma que observamos en los viejos
dictadores de América Latina,
la misma en cerdos o ángeles.

NO DIJO NADA

La descubrimos quitándose los guantes y las medias.
De inmediato le conocí el tobillo que seguirá colgando
de lo que pudo ser la sombra de sus medias.

Ahorcado le descubrí la blancura del tobillo
y tosía, cómo tosía, y seguirá tosiendo.
Ahorcada nos descubrió quitándonos la calavera.

Recordemos que de inmediato mordí su blancura.
Recordemos que ella no abrió sus labios, no dijo nada
y seguía quitándose los guantes y las medias.

De pronto le dije ven, dame tus huesos,
no me abandones.
Ahorcado le dije ven, pásame tu esqueleto por la boca
y ella tosía, cómo tosía, y seguirá tosiendo.

CON LA ESTATUA EN LOS BRAZOS

Un hombre semicalvo con una estatua en los brazos.
Ella sonríe y él trata de descubrir su ombligo
pero no se lo encuentra: ni antes ni después,
con locura de ojos, ten piedad,
    pero no se lo encuentra.

De pronto la estatua —que es Venus de Milo—
lo abraza de un modo tentacular, con furia,
y el hombre tiembla como un decapitado
en el patíbulo donde solamente respira
el ombligo que nadie ha descubierto.

Un hombre semicalvo con el cadáver
de una estatua en los brazos.
A menudo ella sonríe y él trata de descubrir
lo que se oculta bajo su espíritu
pero no se lo encuentra: ni antes ni después,
con locura de ojos, ten piedad,
    pero no se lo encuentra.

Berlín, 1966

LA CANCIÓN DEL VAMPIRO

1

Yo era un vampiro triste. ¿Lo recuerdas?
Había mordido tu cuello con suspicacia
en una situación equívoca:
tú no quisiste venir desnuda
y sin embargo te habías desnudado
como una niña de naturaleza conventual.

Entre las alumbradas yo era un vampiro triste
y nunca supe qué hacer con tu naturaleza
de muñeca de plástico transfigurada para el amor.
Tú eras la niña que me alumbra
con esos labios en la fosa del convento:
boca llena de pezones, cómo bailábamos,
lengua con lengua en una situación equívoca.

Se supone que yo era tu vampiro. ¿Lo recuerdas?
Un colmillo sin mucho encanto, una ceremonia
  inocente.
Tú eras la que todavía me alumbra
con ese rayo láser, cómo gozábamos:
lengua con ojos hasta desaparecer
en un equívoco inagotable.

2

Colmillos para hundirme en tus arañas
como nadie: colmillo de oro
para morderte como nunca.
Prohibido morir, ven a mis labios
y cántame una canción incomprensible.
Colmillos para vivir en calma, mientras vemos
"la manada de árboles bebiendo en el arroyo,
todos están ahí, dichosos en su estar,
frente a nosotros que no estamos,
comidos por la rabia, por el odio,
por el amor comidos, por la muerte".

Colmillos para hundirme como nunca
más allá de la tela que cubre tus arañas.

3

Desde la antigüedad el vampiro llora
por su vampira
y nadie tiene el valor de consolarlo.

La vampira se burla de su vampiro
desde la antigüedad
y nadie tiene el valor de consolarlo.

De repente el vampiro le muerde los senos
y lloran lágrimas de sangre.

Después de sonreír, la vampira le muerde la lengua
y los dos, entre burlas,
lloran lágrimas de sangre.

Ahora el vampiro se ríe a carcajadas
como si no fuera un vampiro
y nadie tiene el valor de consolarlo.

Entonces la vampira se asusta, cierra la boca
y desaparece con las alas cubiertas de sangre
en una atmósfera de antigüedad
donde el tiempo es una telaraña
que se teje o se desteje
según el impulso menos visible.

"Qué situación tan sublime", piensa el vampiro
y al fin se duerme sobre la alfombra amarilla.

LA MUJER ES UNA SILLA

Además de ser mujer, la mujer es una silla
—ocasionalmente una silla de ruedas—
capaz de sentarse en su propia sombra
y dar comienzo a la reflexión crítica
sobre la probable inexistencia
del fenómeno conocido en todo el mundo
con el nombre no siempre justo de mujer.

Además de ser hombre, el hombre es un insecto
—casualmente nonato—
incapaz de volar bajo la sombra de la silla
que ha cambiado de sitio como una mariposa,
cuando aparece la reflexión crítica
sobre la comprobable inexistencia
del fenómeno concebido en todo el mundo
a través del signo no siempre justo de hombre
destinado a sobrevivir entre las patas de la silla
de ruedas,
que nos cambia de lugar a cada instante.

DESNUDOS HASTA LA CINTURA

En memoria de Petronio,
el arbiter elegantiarum,
el de la sátira siempre inconclusa

Y a Federico Fellini, por supuesto

Al fin de aquella noche vimos cómo fluía el agua
desde el rumor vesánico del sexo de Enotea.
Eran los vestigios de la carne y el látigo del mago,
y toda ella era mucho más que su propia impostura.

Aquella noche la épica impura y tal vez pálida
de sus juegos obesos y su desconcertante sexo,
nos dejó casi fuera de los límites del mundo:
fluía la sangre del agua que sin saber fluía.

En el principio de aquella noche fuimos los cómplices
y bajo el disfraz del gato montés en su gata
preparamos el ataque a tus fértiles y democráticas
rodillas:
desgraciadamente se nos cruzó la sombra y nadie
pudo abrirte.

Era el fin de aquella noche cuando abrimos la sombra
de Enotea
y yo le dije "concédeme el placer del asilo en esta
tumba".
—Está bien —dijo agitando saturnalmente
sus caderas—:
pero desnúdate y no olvides que todo arderá hasta
que la luna vuelva.

Una noche más el mundo bailó en los límites
de la hoguera
y ciegamente volvimos al rencor y la dulzura
del principio.
Entrábamos de nuevo a la comedia
del envejecimiento:
aunque debajo de los cerdos Encolpio se pintaba
y Enotea me mordía.

CANCIÓN DE AMOR PARA LA ABADESA

Sublimar arsénico, sublimar alcanfor,
volatilizarnos en el desliz del amor no solamente loco,
mi cornúpeta, yo tu cornúpeto, tú mi cornúpeta,
la tan graciosa y locuaz, mi bella impía,
    la por siempre ínclita,
mi abadesa, cuánto alcohol alcanforado, cuánto
    incienso, mi solitaria.

Nos conocimos hace mucho, aún cantaban
    los pájaros, aún sobrevivíamos
y tú dijiste ¡albricias!, qué exclamación la tuya,
albricias en aquel vértigo
cerca del mar, aún respiraban los pájaros,
    entre la montaña y el mar.

Éramos un compuesto volátil e inflamable en medio
    de la noche
que no dejaba de caer como una gota
de leche inagotable sobre nuestra abadía:
                                                            gota de luz
en la pasión crítica, no siempre crítica
    de los cornúpetos
cuya obra maestra fue sublimarlo todo, hasta la gracia
o desgracia de la muerte, pelona impúdica,
    la siempreviva, la suprema.

—Venero tu química sanguínea en ayunas —suspiró
la abadesa
y dijo que el universo es aroma y armonía,
como soñó Rubén Darío,
dijo casi temblando que no habrá soplo
sin arpa, te imagino espiándome, no hay vuelo
sin arpista
ni arpa eolia sin pulsación del aire.
¿Por qué no me alivias con tu cataplasma
de árnica y lodo sobre la herida que es causa, cuánto
dolor, mírame,
y sin duda efecto?
Todo es causa, ven a mí, albaricoque mío, casi todo
es efecto.
Habría que vaporizarlo todo, mi pequeño Rubén,
alíviame en un soplo nocturno, almácigo mío,
ven a mí, descúbreme,
¿por qué no me alivias con la misericordia
de tu alcohol alcanforado?

—¡Sublimar alcanfor, sublimar arsénico,
volatilizarnos una vez más! —respondí en ayunas
y me puse a reír como un bufón que acaba de perder
el juicio
en los dominios de su abadesa,
gota de luz,
no sólo gota de luz, qué primor tan lácteo
esa gordísima,
la más pura vía láctea
en sus químicas no sólo sanguíneas, la verdad
al fin se impone, todo es verídico.
Difícilmente podré ser tu arúspice
porque no hay entrañas más allá de las tuyas,
tampoco hay víctimas
y todo presagio se ha vuelto imposible.

Sólo me atrevería a tocarte con la uña del dedo cordial
en este minuto de gracia, lo que dura un relámpago,
mi cornúpeta,
yo tu cornúpeto, nunca lo olvides, tú mi cornúpeta:
sólo me atrevo a besarte con algo de pudor, en teoría,
perdóname,
y si alguna vez se te inflaman las mucosas, nadie
está libre,
yo seré tu bálsamo de copaiba de la India,
soy aún tu más viejo acorde, te fricciono
y de improviso te muerdo apenas, uña con uña,
con suavidad aunque acelerado soy todavía
tu arpegio
y es muy difícil que ponga en orden mi cabeza,
soy muy suave y muy rápido, bufón o
gota de luz,
mimosa, mi bella impía, la por siempre melindrosa.

—Cuánta desilusión, Dios mío, ¿cómo es posible?
—dijo la solitaria
con algo de angustia, levantando las manos en señal
de duelo.
Transcurrieron algunos minutos
y de pronto se puso a reír como animal simbólico,
tan láctea
y casi transparente a pesar de su gordura,
con tanta alquimia en la sangre
como animal simbólico.

"¿Sublimar arsénico, sublimar alcanfor,
volatilizarnos una vez más?", pensé nuevamente,
pero no me atreví a repetirlo en aquel escenario
con tanto material combustible.
Aún cantaban los pájaros, aún sobrevivíamos
y tú dijiste ¿albricias?, qué pregunta

la tuya, cuánta leche, nunca podré olvidarla.
Nos conocimos hace mucho, calaca impúdica, mimosa
en aquel vértigo cerca del mar, ¿era de noche?,
cuando aún respiraban los pájaros
entre el abismo de la montaña,
gota de luz inflamable,
y el mar transfigurado en otro abismo.
Seré tu Rubén Darío, tu pequeño Rubén,
lo que tú quieras,
¿por qué no me miras?, cornúpeta ubérrima,
¿por qué no me miras
y al fin dejas en paz a tu animal simbólico?
No te burles de mí, piedad, ahora o nunca,
para el que sueña:
una chispa de misericordia.

CASANOVA MONÓGAMO

Mujer mía, nadie sabe si eres una sombra
o un animal con las ondulaciones
de una mancha de tinta.
Desnuda fuiste casi un mito,
un personaje literario con la mirada perdida
en la noche del fetichista que soy, cubierto de arrugas.

Viejo Casanova monógamo, ensimismado
y lunático junto a la música que te envuelve:
caballero casi anciano con tu monóculo
y el temblor en los labios y el ataque de gota
cuando la elasticidad de las articulaciones
pertenece al sueño más allá de esta Venecia
donde la luz es fúnebre.

Me llamo Casanova de Seingalt y con tristeza bailo
en tus brazos, maniquí de rodillas tan bellas,
amor mío que exhibes los modelos
de una casa de costura donde sólo existen
las tinieblas entre hilos, dedales, alfileres.
De pronto te desnudas, almohadillada,
y nos agitamos frenéticamente
como si perteneciéramos a un museo de cera
    demasiado moderno.

Electricidad en mi monóculo y en tu cuello
 que da vueltas
como una víbora que ha perdido la brújula.

Eres de la época de la escenografía sutil;
pequeño saltimbanqui enamorado de sí mismo
en aquella ciudad irrisoria:
personaje a veces ridículo, despiadado y torpe,
con una melancolía que a nadie conmueve.
Cortesano cubierto de sudor y de perfume
bajo ese penacho de comedia antigua.

Casanova hiperestésico y desenfrenado,
con la brutalidad y la jactancia
del cuartel o de la iglesia:
una sombra que pudo hacer el amor
más de siete veces en una sola noche

y aún estoy llorando por ti en una repetición
 hipnótica, soy Casanova
y aún estoy llorando,
mi alegre bailarina de madera.

SEÑORA ERRANTE

Dentada en el asombro la muy propicia,
pero uno pierde el equilibrio
y no sabe al fin, al fin no sabe
lo que dentada en el culo significa:
por debajo, con esmero, por arriba, no sabe nadie
lo que dentada en el viento significa.

Dentada en el acróbata la muy soberbia,
graciosa y soberbia la muy propicia:
no sabe uno, al fin no sabe
lo que dentada en la gracia significa.
Por debajo, mucho ojo, por arriba, mucho ojo,
no sabe uno lo que dentada en el arte significa.

Todo sea para usted, señora errante.
A la gracia de Dios, la muy propicia.

VEINTE AÑOS

Olvidémonos de la glucosa,
del colesterol, de las bilirrubinas, amor mío:
la armónica de Toots Thielemans
en *The shadow of your smile*,
nos está sugiriendo que debiéramos olvidar
para siempre
el impacto de las infieles bilirrubinas,
del esquivo colesterol, de las soporíferas glucosas.

¿Por qué no somos cursis, una vez más,
como en el primer día?
¿Por qué no te desnudas a media luz, poco a poco,
y frente al espejo biselado como en la noche
del primer día, cuando tu seguro servidor, con algo
de tristeza,
recién había cumplido veintiún años
y era por derecho propio uno de los nuevos fantasmas
que ejercería el sufragio en la próxima contienda
electoral?

Veinte años no es nada,
como tal vez hubiera dicho Julio Sosa
adelantándose al movimiento pendular del tango
en su caída como tus labios de serpiente
que se abren o se cierran
de acuerdo a la trayectoria del sol por el espacio.

Veinte años no es casi nada, diremos en pleno baile,
y son más de veinte los del abrazo a media luz
en Valparaíso,
cuando ni la glucosa ni el colesterol ni las bilirrubinas
formaban parte de nuestra cultura cotidiana.

¿Será mejor que nos olvidemos de todo?
Apaga nuevamente la luz y que la música de Toots
Thielemans
siga escuchándose hasta el fin del mundo.

Coyoacán, 1980

LAMBADAS DE CARLOTA

1. Lambada triunfal

De nana es el útero, de maciza, de chorizo,
de lenguas es la matriz de la inagotable Carlota.

Puras carnes muy finas, ¿recuerdas?,
y aquella música de violines
y aquel útero elegante.

Qué taco de ojo en la matriz de Carlota
y cuánto amor de nana, de seso, de cachete, de tripa,
y cuántas carnes bellas, la noche, los tangos, la rumba
o algo por el estilo, sí, la rumba, qué rumba,
los violines ya no existen, se van, en un soplo se van,
    se fueron,
pura mímica en el aire, pura música
en las tortillas de Carlota.

Qué sabroso el taco de chuleta, como siempre,
qué sabrosón el chorizo en las ondulaciones
de esta lambada triunfal,
                                        ¡carnitas vacilantes?

2. Lambada triste

Ahora te vas en un suspiro, Carlota de nadie, de soplo
en soplo te vas, nunca

vienes llegando en el vacío, de nadie
en nadie, y sin embargo eres aérea todavía:

el más puro oxígeno, soplan los dioses
y ella es mucho más que un mamífero
    que también sopla desde el pulso
de lo sutil, sopla desde el impulso
cuando respira —paradójico el diafragma—
    y es demasiado sutil,
perspicaz y profunda, obstinada y sutil
como la túnica inconsútil de Nuestro Señor Jesucristo.

Ahora te vas en un bostezo, Carlota esquiva, mucho
    ojo de lince
en el taco de ojo que pudimos haber sido,
ven de soplo en jazz, de vuelo
en vuelo a la velocidad de aquel soplo,
ven a mí, Carlota triste, locura de nadie, muslísima
y cada vez más lúbrica en el ritmo de esta noche,
no hay coronarias que valgan, músculo ambiguo,
    de puro jazz,
pura es la gracia que nos alumbra, nos confunde,
y no hay coronarias que valgan de soplo en soplo,
    Carlota
es la única musa que de pronto agita las caderas
y luego se interrumpe, soplan al fin los dioses, canta
    muy suave
y me hace un guiño como si fuese Elis Regina:

no hay coronarias —ya lo hemos dicho—,
y es cardiotónica esta pobre Regina, sin embargo,
qué pobrecita y frágil música, torpe es el jazz,
melancolía es la luz
del jazz de Carlota que se gana o se pierde
    en esta música,

solamente un poco de vuelo, ahora, otro poco
    de vuelo
en esta lambada final donde la pesadumbre existe
como un pájaro a punto, ven a mí, de abandonar
    su jaula para siempre.

3. Lambada final

Búscate al fin otro payaso, Carlota,
si de la lambada te exilias en el más puro vértigo:
búscate a Rubén Blades o a Cheo Feliciano
si me traicionas de pronto, ahora mismo,
abandonándome en el soliloquio
de esta lambada cruel, ohhh cuánto escándalo.

Muérdeme al menos el lóbulo entre tumbadoras
y trompetazos, vete de mí, salsera mía, vámonos
    de lóbulo
en lóbulo, ahorita, y hasta nueva orden:
¿por qué me abandonas de salsa en salsa?,
bufón de mí, el despechado, bufón de nadie,
tumba que tumba la super super, toda la infiel,
de tumbo en tumbo la gran diabólica,
¿por qué no eres como Matilde Angulo, la chirifusca,
por qué no te contagias, lambadamente,
como Matilde Angulo de la Fe?

Óyeme bien, Carlota equívoca, bésame
al fin el lóbulo a puro vértigo,
qué sublime, óyeme bien, qué soberbia,
    seré tu Feliciano
alumbrándote, ilumíname
el lóbulo, no sólo el lóbulo, y alúmbrame,
ohhh cuánto escándalo,
                    ¡soberana?

ANATOMÍA DEL DIVERTÍCULO

1

Cada divertículo podría ser el divertimento
de un culo divertido en miniatura,
y de algún modo lo es, así se dice, vejiguilla tonta
y a veces loca, de algún modo lo es, así sea.

De repente el sufrimiento, cosa no sólo mental,
    absceso
por atonía, contracciones y dilataciones, ¿peristalsis
más esquizoide, mucho más esquizoide
    que peristáltica?
Cómo te despreciamos y quisiéramos olvidarte,
    vejiga fatua,
pero ten piedad de nosotros, cómo te amamos,
tontiloca, tontuela, tontucia,
no es posible el olvido y cuánto dolor se necesita.

Vuélvanse todos a su lugar de origen
y que cada loco divertículo se vuelva, sulfato de bario,
enema de sulfato de bario, a la diverticulosis
musical de su locura, bendito seas, vesiculoso,
    benigno seas
y perpendicular y feo, desencarnas de puro feo:
testículo de aire, profusión amarilla, escroto senil,
    muéranse

los feos, deidad o pus, ampolla vesánica, deidad
o pus, que se mueran, protuberancia, no sólo
protuberancia,
¿qué se hizo el jazz de la peristalsis?,
ohhh colon descendente, loquísimo colon transverso,
espasmo
y espumas no siempre equívocas, ¿íleon o pus?

Bienaventurada sea la fístula por venir, ya vino,
bienaventurado lo que viene, ahorita, en el nombre
del Señor.
Alabada sea la fístula, la tránsfuga por venir,
así se dice,
mucho más tránsfuga que trashumante, cuando todo
está por verse,
y que no haya transfiguración de la peristalsis
en peritonitis camaleónica, sí, que no aparezca
ese peristaltismo impío, no se oye, de pronto
no se escucha
y sólo está latente la atonía, musculatura liviana,
casi no se oye,
no se ha vuelto loco el peritoneo, bendita sea la pus
y qué agudeza y cuánta aliteración en un foco
bacteriano escondiéndose
más allá de las ondulaciones de toda mucosa.

Creo que ya me siento un poco mejor, no es comedia
esta sangre, tal vez estoy volando lejos de aquí,
las tórtolas,
¿qué se hicieron las tórtolas del jardín de los naranjos?
Un traguito de lácrima christi, al menos,
para recuperar la visión
y salir ahora mismo, como por catapulta,
de mi estado lacrimoso.

Qué zigzagueante anatomía. Qué culebrón
    el divertículo.
Cuánta levadura. Cuán levantisco y lépero.
    El más puro
zigzag, suprema fístula de Dios,
¿de acuerdo?

2

Y después de todo, no se interrumpe el vuelo
    de la cánula
por el tracto casi rectal, como si fuera un avión
    supersónico
atravesando mucosas, nubes de gelatina
y nuevamente mucosas
con la consistencia de musgos más o menos pálidos
o medusas peristálticas, la endoscopía no miente,
    qué medusas.

Apolo es arrebato profético, ¿quién se atreve
    a dudarlo?
Es apolínea la perforación diverticular del sigmoides,
¿quién se atreve?, y es profética
la fístula en la cúpula vaginal:
drenaje casi místico, no solamente colónico, mística
purulenta, qué temperatura, y arrebato orgiástico.

Dionisio es el absceso, dionisiaca la peristalsis:
lavativa que vuelas de cánula en cánula
más allá de contracciones y dilataciones,
supersónica en el oxígeno
del intestino grueso, de mucosa
en mucosa, lavazas en medio de la luz, al azar,
    ohhh colon
por enema, pobrecito, colon arriba.

3

Qué risa, Dios mío, endoscópicamente.
Cuán lúcido y colónico el divertículo.
Qué endoscópico y febril y divertido, zumba
que zumba
por la sonda que se esconde y también fluye, cómo
fluye:

vida que nunca deja de fluir,
vida en absceso que nunca dejarás de fluir.

4

Gracias a la fístula vaginal, Nora del Carmen
se libró de una peritonitis hiperbólica.

Bendita sea la Santa Patrona de la Fístula Mayor.
Bendita sea la Santa Patrona de la Fístula Milagrosa.
Bendita sea la Santa Fístula del Perpetuo Socorro.

VIAJE ALREDEDOR DEL ÁCIDO ÚRICO

La precipitación de los tofos gotosos, el ácido
úrico, el ácido siempre
fúrico, los cristales
de urato de sodio, la calculosis,
los cólicos o las furias
del bendito y maldito ácido úrico:

úricamente el vértigo en las furias
del ácido úrico, qué coléricas
las inauditas, cuán furiosas
las loquísimas furias del ácido, todo es lingual,
tofos gotosos, lenguas arriba, no hay clemencia,
    lenguas abajo,
no hay clemencia en los agudísimos
tofos gotosos, gotas agudas, cruel podagra,
ya no hay clemencia para el dedo gordo
del vicioso y abandonado pie, otrora efebo, otrora
    célibe.

Nunca olvidaremos aquel zumbido inagotable
del tábano úrico, fúricamente, como ya se dijo,
se seguirá diciendo fúrica verba, la bembona, úrica
    bemba,
se seguirá diciendo, venid a mí, sangre
con sangre, casi todo es renal, úrico

y renal es el todo, úrico
y lingual, de urticaria en urticaria:

qué comezón, fiebre con fiebre, hasta la bemba
se hincha, verba engañosa y ácido zorro,
úrico
ambiguo, qué zorrería,
¡qué sabrosura?

LAS TIERNAS SÚPLICAS

1. Ay, Santa Elena

Ay, Santa Elena, reina fuiste
y al calvario llegaste.
Tres clavos trajiste cuando se hizo de noche:
uno lo enterraste en el mar,
el otro lo hundiste en el pecho de tu hijo,
y el que te queda te lo pido prestado
para clavárselo a mi novia de ojos negros.

Quisiera que siempre vengas a verme con alegría
como si yo fuese el brujo del Templo Amarillo.
Ven amante y sin angustia,
fiel como una perra joven,
misericordiosa como un cordero,
llena de gracia como una tórtola.

Que nadie nunca te detenga.
¿Por qué no vienes?
Que nadie nunca te detenga.

Ven desde la Tierra del Fuego:
tal vez soy el último que te llama.

2. El infierno

No puedo hablar, San Blas, estoy perdido:
me caí en un pozo y estoy perdido.
Mi garganta es un infierno
y en este pozo no veo a nadie,
ni siquiera escucho las lamentaciones de mi sombra.

Ay, San Blas, no puedo decir tu nombre
porque tu nombre es agua helada
y en vez de apagar este incendio lo reanima.

3. Ya me estoy pasando

Ay, San Antonio de Padua:
yo te suplico llorando
que me des una esposa gorda,
feliz e inocente como el agua
porque ya me estoy pasando.

4. San Ramón Nonato, ayúdala

Ay, San Ramón Nonato, no la abandones.
Ay, San Ramón Nonato, ¡ayúdala a parir!

—Que se encomiende a San Ignacio
porque será un parto muy difícil.
Yo me declaro incompetente.

5. Dolor de muelas

Ay, Santa Apolonia,
este dolor de muelas me vuelve loco
y es casi más terrible que el dolor del alma.

Ay, Santa Apolonia, pídele ayuda a Santa Bárbara
y jalen las dos, jalen muy fuerte,
jalen con toda la potencia divina
¡y déjenme al fin sin muela alguna!

6. El parto viene

San Ramón Nonato, San Ignacio de Loyola:
el parto viene, ¡el parto viene!
Líbrenla del dolor.

—Es imposible, sería injusto.
Parirá con dolor
y sudará por su frente.

7. El juego

Ay, San Lázaro,
sólo a ti te cuento que por las noches
me voy cubriendo de llagas
y en las mañanas amanezco limpio como un cordero.

Esto se repite desde el primer día
y sólo te pido que el juego se mantenga:
yo no podría vivir llagado toda mi vida,
no podría vivir limpio toda mi vida.

8. El drama y la comedia

Gracias te doy, Santa Águeda,
por mantener vivos sus pechos
y aceitarlos de noche
y bañarlos de día.

Compañera Santa Águeda:
sin que ella lo sepa tú alimentas
en su pecho derecho el drama
y en su pecho izquierdo la comedia.

Que el tiempo no pase por su piel
y que bajo cada pezón suyo
aceche siempre la vida.

9. Dolor de cabeza

Me volvería perro, lobo, asno, zorro, lechuza.
Daría cualquier cosa, y hasta mi condición humana,
por librarme de este dolor tan profundo
que me parte la cabeza.
Me volvería perro, lobo, asno, zorro, lechuza.
Daría cualquier cosa, San Francisco.

—No mientas, tú no darías nada.
Tus promesas son falsas
y no eres digno de llegar a ser un perro,
un lobo, un asno, un zorro, una lechuza.

10. No me olvides, Santa Lucía

Si he de perder algún día la vista,
que ciego siempre pueda verte
con esa fuerza sobrehumana
que sólo da el haber perdido la vista.

Nunca me olvides, Santa Lucía,
y déjame mirarte desde la sombra:
ya casi no te veo pero eres eterna
como el fondo de un pozo.

11. Ay, Santa Rita

Ay, Santa Rita de Casia,
ruega por esta piadosa bestia tuya
que en cualquier recodo del camino
podría destruir tu corazón con un golpe de pezuña.

Ay, Santa Rita de Casia, abogada de rodillas:
ruega para que esta piadosa bestia tuya
pueda abandonar algún día sus espinas.

12. Con música de bandoneón

Ay, Santa Lucía, él se ha quedado sin su cuerpo.
Qué difícil es verlo así, ¿adónde se habrá ido?

Desde aquí puedo ver al caballo rojo
que está desesperado como un enfermo de lepra
y escucho el llanto de un niño.
Hasta aquí llega la música
y me parece que el bandoneón se ha vuelto loco.
¿Adónde se habrá ido? ¿Qué difícil es verlo así?
Él se quedó sin su cuerpo cuando yo estaba ausente.

Ay, Santa Lucía, es bueno que tú lo protejas:
vive en paz, Daniel, como el cordero
en el vientre de su madre.

13. ¿Cuándo cantará la ballena?

Febril me veo morir, me hablo y no me oigo.
Febrilmente te veo venir, nada me dices
y te oigo, te escucho decir cosas inefables.

Ahora sollozo, me río, tiemblo en este lado
donde se pacta la vida, donde la muerte
empieza a dominarlo todo.

Febril y con la vista perdida,
soy el canto del agónico testigo.
¿Qué puedo hacer junto al océano inmóvil?
¿Cuándo cantará la ballena?

Ay, San José cruel:
esta sordera total, estos recuerdos.
De pronto se me nubla la memoria
y es imposible recordar nuestra infancia
en aquel país donde llueve desde el primer día.

Santiago de Chile, 1971
Coyoacán, 1987

DESCUBRIMIENTO DE LA SILLA

Antes del descubrimiento de la silla,
las mujeres se sentaban con absoluta inocencia
como si recién hubieran escuchado
la voz de Dios entre los matorrales.

La ceremonia de sentarse no era intrascendente
como ha ocurrido en los tiempos modernos
donde la silla, con su obviedad y su torpeza,
destruyó el encanto de la época primitiva.

Han pasado los años y tú eres la niña que corre
sobre las flores azules de este bosque
donde no sólo las piedras hablan
como si hubiesen visto a Dios entre los matorrales.

Antes del invento de la silla, nos amábamos
con la más absoluta inocencia
y no era irreal el esplendor en las flores azules
donde tu sombra parecía dormir como un ídolo
    antiguo.

Han pasado los años y la ceremonia de sentarse
vuelve a tener relevancia en este lugar de Dios
    que nos alumbra
y todavía nos protege como la hembra a su nonato
más allá de la silla convertida en olvido.

COMO UNA VIRGEN EN CELO

La incómoda topografía de la cama
donde aquella mujer se acuesta
como una virgen en celo.

La incómoda topografía
de la virgen que a menudo se acuesta
sobre la incómoda topografía

diseñada sólo para el faquir
que de repente soy yo, quién sabe, soy yo,

yo soy la verdad y el camino de la incómoda
cuyos labios me besan con algo de envidia
como volverá a suceder en el fin de los siglos.

Me refiero a la incómoda topografía de la muerte
que a menudo se acuesta junto a la virgen en celo
y por ahora somos la sombra, somos la sombra,

no somos más que la sombra
    diseñada desde la Antigüedad
por una mano de origen desconocido.

ULTRASONIDO

Transuretral el último esplendor, aquella música
de violas y violines, la picardía
de su gozosa intermitencia:
                                        el staccato, el staccato,
febrilmente el staccato casi jazzístico
sobre aquella cama bermeja de origen tropical,
como las vibraciones en la pantalla del ultrasonido.

Ella debe llamarse Brígida, tal vez Brígida
o quizá Matilde López Angulo, y le cuelga
    una simpática nariz
de perfil clásico y tardío, aunque sin duda
    protuberante.

Sólo abre los ojos cuando le digo ven, acércate
un poco más, no tengas miedo,
y la música vuela desde la síncopa al staccato,
se contrae, se prolonga, violenta o débil, sincopada:
vuela desde el vértigo de la ligadura
a la vacilante desligadura,
vuela desde la vacilante articulación
al vértigo de la desarticulación.

Sólo permanece el vaivén rítmico de la batería
y George Gershwin al fondo, más allá del ultrasonido,

resucitando en el violín de Yehudi Menuhin,
y Cole Porter al fondo, más allá de la temblorosa
pantalla del ultrasonido, resucitando en la viola
de Stephane Grappelli.

Vibrarán eternamente las cuerdas, como los labios
de Matilde
o tal vez Brígida López Angulo,
y será transrectal el más allá del sonido,
transuretral y transrectal es el último esplendor:
música viva,
staccato, música siempre viva.

Cafetería del Instituto Nacional
de la Nutrición Salvador Zubirán,
18 de febrero de 1987

LA VISITA

Vienes a visitarme después del mediodía
y hacemos la prueba del amor adentro de la manzana,
mientras una mano que no se sabe a quién pertenece
va pelándonos por fuera con un cuchillo
    de mango azul,
y hace todo lo posible para que la cáscara
    no se rompa.

De pronto empiezas a cantar con una voz
    que no es de este mundo
y tu canto altera las fibras nerviosas del desconocido
cuya mano deja de pelar, por un instante,
con el cuchillo que se ilumina
como si acabara de recibir el impacto de Dios.

Al estilo de los viejos poetas del Oriente,
con mis dedos toco tus labios
y esta acción, sin duda, es otro gesto profético.
No sabría decir si tus labios son rojos o negros:
la luz del cuchillo que va pelándonos por fuera,
me enceguece y no alcanzo a ver de qué color
    son tus labios.

Ahora vienes a visitarme y no hablas,
lo cual es mucho más que un enigma.

Desde la Antigüedad se sabe que el silencio
    es el mayor estímulo
para que sigamos haciendo el amor
    adentro de la manzana,
hasta que la mano del desconocido llegue al fondo
y descubra que una semilla duerme junto a la otra.

LAS NODRIZAS

Todo ha cambiado en nuestra historia
desde la noche que dijimos adiós a las nodrizas.

Estas amas de cría ya no se apiadan de nosotros
y su leche no es de este mundo.

Ellas dicen que es mejor el olvido
porque ha llegado el tiempo de las transfiguraciones
y sería perjudicial si permaneciéramos como estatuas.

—Está bien, está bien —suspiramos sin abrir los ojos.
Pero cómo nos duele ahora, desde tan lejos,
haber perdido la dulzura y el misterio de las nodrizas.

CANGREJO DE DIOS

Volveré, locura mía, Deo volente con la audacia
de tus muslos de lozana no sólo andaluza, y Dios,
    de nuevo Dios,
el pequeñísimo, el huérfano, el suspicaz,
pericoloso a veces y solitario
como las nubes más antiguas, ese Dios
dejará caer su mano ingrávida
y umbilicalmente nos tocará con su dedo más antiguo,
Dios digital y de profundis
en sus intermitencias, tan profundo como el ojo, sí,
la fosa común
o el nicho del cosmos donde las arañas tejen
una red siempre inconclusa.

Malhaya el más allá de tu abrazo, Deus
nos examina, la fosa, sí, bendita seas
y de pronto nos alumbra en la noche
de las transfiguraciones y los desamparados.

Creo que volveré, locura de nadie, casi de nadie,
si Dios quiere volveré a tocar tus muslos,
    a descubrirlos
con esta uña ingrávida
que en pleno desliz te hace la luz y te atormenta:
unguiculado el placer, esta uña convertida
    en cangrejo,

unguiculado y sutil y habilidoso
el cangrejo deslizándose muy cerca de tus labios
como aquel Deus que todavía nos observa
con su dedo más antiguo, la fosa, sí, común es la fosa
donde las arañas tejen, parece mentira, una red
siempre inconclusa.

LA MONJA ETÉREA

A la memoria de Luis Buñuel,
con una carcajada

Etérea será la monja
que desde lejos me mira
con curiosidad de monja etérea.

Etérea será la monja
que a lo lejos se desnuda y me mira
con curiosidad de monja etérea.

Etérea será siempre la monja
que seguirá desnudándose
y desde lejos me mira
con curiosidad de monja etérea.

Etérea será la monja siempre la monja
que actúa como novia inocente
y no dejará de observarme desde lejos
con curiosidad de monja etérea.

Etérea será la monja
que de pronto agita las caderas
y desnuda me mira desde lejos
con curiosidad de monja etérea.

Etérea será la monja
más allá del sepulcro
donde la resurrección sólo es posible
si cultivamos una curiosidad de monja etérea.

COMO LOS DEDOS DE LOS PIES DE LOS CURAS FRANCISCANOS

1. El privilegio

Te quisiera aún más blanca
que los dedos de los pies
de los curas franciscanos.

Sé que no es fácil: te quisiera
con una salud de hierro,
forjada en sacrificio y precocidad,

bondadosa como aquellos que conservan
el poder, la gracia, el privilegio
de bostezar cantando.

2. Una prueba de amor

Sé que sin técnica
me acerco a ti con el más puro instinto
y te pido una prueba de amor,
pero muy terca te refocilas en tu egoísmo,
    me confundes,
pones los ojos de gallina en hipnosis, los inviertes,
    los obnubilas,
atacas mi psiquis, me haces cosquillas y creo
    que te burlas.

Estoy falto de estrategia como un cisne australiano,

pero acudo a tu arrepentimiento
y a tu examen de conciencia.

Sublimo mal, no hay técnica en mi instinto,
mi gula es grande y te lastima.

3. El niño envuelto

No hay nadie más en esta letrina,
salvo el silencio del bidet que está a la entrada
y sus manillas en desuso, el óxido en sus llaves.

Aquí todo es normal, pero caigo en crisis
cuando descubro, al pie del retrete
que pierde agua, el calzón amuñonado
   de una desconocida,
y entre sus negras rosas de encaje —parecía un niño
   envuelto—,
el pene de la traición desangrándose
   como un soldado.

4. La vergüenza

Ella es linda, está muerta,
y avergonzados de lo que hacen con ella,
ellos van y la entierran.

De noche, solos, hartos,
avergonzados de lo que están haciendo,
ellos van y la desentierran.

5. Donde mueren las palabras

Qué tinieblas este oficio que nos deja inmóviles:
el desamparo y tú tan lejos, ya ni mi sombra.

Confieso que eras una seda de gusano
ovillándome, chiquita:
fuiste la sangre del tabaco de Dios,
un microclima, y algunos dicen
que como tú fue la hija de Apolo, la venenosa
que mató a su esposo, y porque yo no soy Ulises
me maldijo para siempre, me maldijo desde lejos
    para siempre.

Ahora muerdo el polvo observando tu fotografía
y tiemblo como un boxeador que va desnudándote
con estos ojos de adolescente, pobres ojos de insecto.

Un poco más abajo de tu vientre de niña
se me va la vida, qué oscuridad, y no te oigo.

6. El supliciado

Adán descubre en Eva una idea platónica
y sin embargo se siente como el peor
    de los supliciados.
Cae de rodillas y experimenta en su propia carne
el goce del sufrimiento
y el pánico de agarrarse con los dientes
a su amante que sangra y ya no existe.

Adán suda, le viene el temblor y recuerda
la musculatura vaginal de aquella mujer
que sin un gesto, casi inmóvil, lo convirtió en icono.

Eva es una idea manchada por Occidente.
Eva solloza en el suplicio de Adán
y por su vulva fluye la locura.

Eva se vuelca sobre los flujos de las hembras
del mundo
y hace el último esfuerzo, pero su sangre
que aún respira
ya no vive: es un fetiche.

7. El caballero y su abuela

Abuela mía, tú estás sufriendo cuando el último de los caballeros católicos salta el foso para verte y tocarte, y corre por las troneras como un zorro. Aún no te conozco pero te imagino rolliza, dueña del mundo, y por tu olor llego a tu alcoba. Allí me tiñes con anilinas en los pies y en la papada, derramas la copa de sidra sobre mi ombligo triste como un pesario, te vuelves hacia mí, me cubres de cosméticos, perforas mis orejas y les cuelgas argollas y un anillo de oro en mi nariz y otro en mi fuero. Hilvanas escarabajos en mis testículos, quieres atarme a la cola del mono y en su punta brilla una bola de plata.

El caballero trata de moverse pero la alcoba está en penumbras. ¿Qué sucede, abuela? Yo tiemblo como un fetiche y ella se ríe como dueña del mundo, solloza, destruye lo pastoril, lo casto, y antes de cortarse las venas me da en la torre.

8. El rabo viudo

Desciendes del avión, liviana, sin espíritu, cubierta
con tu abrigo de pelo de camello
y por debajo esa guayabita dulzona, otrora mordida
por el caimán falaz, ese hijo putativo del obeso
Shangó
que te abre y te clava, mientras yo apuro el paso
y tiemblo y corro hasta llegar a la puerta de mi casa

donde tal vez me arrodille, me muerda las uñas
y llore mi viudez encima de la pulpa
del oscuro melocotón que lleva tus formas:
las del terror y la lejanía,
las del enceguecimiento y el dogma,
y cuya piel se pudre como mi rabo viudo.

9. Drogadicto de tus hojas

Me siento como el fenicio más despreciable,
drogadicto de tus hojas de acónito
con las que fabricaste la pasta, el brebaje,
y luego con una esponja en forma de mano
me fuiste digitando, amasando, envileciendo:
qué cruel eres, virgen ponzoñosa, bendita sea la bruja.

Ofreciste a mi vida tu crema de montar
y aquellos besos como la trompa
de un elefante sobre los hornos.
Avidez del jugo de tu himen, cómo lo extraño,
y aquel tormento de caderas y clavículas
preparado con maleficio.

Hoy levantas un cerco alrededor de mis ojos
y te dejas caer sin capacete
con la mordedura colgando de los labios,
severa y ambiciosa
como la más vieja de las vírgenes de Fenicia.

Aquí termino con mi muerte chiquita, hundido
en este plus,
sufriendo y gozando el viaje del veneno
que inyectaste en mis venas
para cambiarme de fauna.

10. La Princesa del Barrio

Deposito en tu piel la parquedad y la leticia de este niño de las monjas que brinca y palidece como un ángel, y jugamos lejos, cada vez más lejos de Valparaíso, al doctor y su nerviosísima enferma de vellos verdes y ácidos como el té de Ceilán.

Te saco en este instante las botas blancas que contemplamos, sufriendo, cómo degüellan en octubre tus tobillos de Princesa del Barrio, y como el rey te exijo que semidesnuda detrás del sillón de felpa, te pronuncies contra el pánico representado por la abuela que lidia noche a noche con el miura de Satán entre las sábanas, mientras yo hago lo imposible por hacerte mía contándote leyendas feudales, historias de bandidos y liturgias taurinas.

11. Das al combate el tono del espíritu

Vuesamerced, a la que llaman Diosalinda, ha sido encomendada para purgar nuestras penas veniales y de muerte. Y sin ningún afán de Paraíso, democrática, das al combate el tono del espíritu —sea redimida la belleza— y del más absoluto desinterés. Por eso, qué juego tan escandaloso, dirán algunos, y qué sangriento a veces, aunque sin ambición.

La sociedad abdicó en contra de tu confianza y, como si fueses un leño al horno, ahora te quitan el saludo y nadie te perdona que siendo hija de Eva, sólo valores a lo humano, ya sin carne, puro soplo, tu iluminada costilla. Lo que sucede es que te quieren imagen de mujer dolosa y buscan una mayordomía en cada uno de tus actos: la compra y venta del espíritu de Adán.

Pero nunca, nunca, nunca. Antes de eso, con furia, sombrío, amoroso, he aquí mi cadáver resucitando para ti, solamente, y volviendo a resucitar. ¿El más puro misticismo o la ternura de Vuesamerced, a la que aún llaman Diosalinda?

12. Como Inocencio III

Como quiera que fuese, toda pena de amor, aun cuando larga, no pasa de ser la urticaria que al fin te devora. Así lo que se pesca por azar: así la celosísima culebra. Reptil lo que tú eres, reptil o múltiple, y de neófita vas llegando al fanatismo. Déjame tocar tu gelatina donde se agita el universo con los siete mares, los siete alguaciles, las siete tormentas.

Como Inocencio III, voy dentro de ti, pero aún me falta el poder. Vuelas como asesina o abeja, y de pronto hundes tu puñal entre mis ojos. Carne mía, tu cariño termina en venta. ¿Cómo aplicaré mi venganza? Abro la historia y cito:

Dije que una señora era absoluta,
Y, siendo más honesta que Lucrecia,
Por dar fin al terceto la hice puta.

Invierno de 1969

EL MINIATURISTA SE DIVIERTE

EL ESPANTAPÁJAROS

Había una vez un pájaro en la cabeza
del espantapájaros
y el sol desaparecía entre las nubes.

El espantapájaros se burlaba de las nubes
y el sol se burlaba del espantapájaros.

Así transcurrió el tiempo bajo los árboles
y al fin descubrimos que el pájaro era muy inteligente:
desaparecían los rayos del sol en su cabeza
y el espantapájaros, con su sombrero,
era todavía más inteligente:

sollozaba junto a la falsa picardía del pájaro
y terminaba convirtiéndose en el pícaro
    que a nadie espanta.

Hubo una vez un espantapájaros en la cabeza
del pájaro de plumas amarillas
y el sol se ocultaba entre las nubes.

DESCRIPCIÓN DEL MATASUEGRAS

Debo admitir que mi espíritu
sobrevive en este tubo
de papel que de pronto se enrosca
y tiene un extremo cerrado;
el otro concluye en una boquilla
por la cual se sopla
para que bruscamente se desenrosque el tubo
y todo el mundo se asuste por broma.

En la antigüedad este invento se llamó Matasuegras
y hoy es un juguete casi cómico
para quienes como yo disfrutamos
de los enredos del espíritu
en este tubo que se enrosca o desenrosca
según las buenas o malas vibraciones
de un poder desconocido
que seguirá soplando con la furia de Júpiter.

LA MOSCA DE LÓPEZ VELARDE

Ayer vimos que la mosca se nos moría
en un abrir y cerrar de ojos,
como nunca dijo López Velarde
aunque lo soñó varias veces, lejos
del instrumento agónico de la mosca, supongamos
que el instrumento vuela por su espíritu, muy lejos
de sí mismo, y aún lo está soñando:

el zumbido instrumental y esquizoide, la voladura
o el acordeón de la mosca
en lo más profundo del cerebro de Ramón López
    Velarde,
ahí donde se levanta la pila bautismal, bautismo
    del cerebro
que ya no tiembla y sin embargo se nos muere
de agonía instrumental, como lo soñaba

López Velarde en Zacatecas, cerrando siempre un ojo,
    sólo un ojo
por si las moscas, no hay otro destino, y abriéndolo
en menos que canta un ángel
o mejor dicho bosteza, ohhh abulia perniciosa.

Nuevamente vimos que el agobio, de zumbido
en zumbido, es peor que la asfixia.

Moribundo en el cerebro de la mosca, somos
    los últimos, soy el último,
el temblor de los mosquitos apenas,
    como lo soñaba López Velarde,
con el techo en pendiente como las buhardillas.

EL NACIMIENTO

Invierno (¿sería en otoño?) de 1895:
la abuela Dionisia dará a luz
a Julio Lavín Cayuso sobre aquellas colinas
que huelen a queso de cabra,
y yo escucho el grito de ambos
desde Santiago de Chile.

¿Qué hora es?
Se supone que recién está amaneciendo
sobre las aguas del Cantábrico
bajo esa niebla que aún viene de Irlanda
y Dionisia llora como yo en la noche
cuando el nonato cae sobre el mundo
en las afueras de Santillana del Mar.

—Cómo se parece a Dios
—dice mi abuelo con su sonrisa de oveja.

—Por supuesto, Cindo
—sonríe un viejo amigo de la familia—:
tiene cara de burro.

RETRATO EN 15 CUERDAS
Y ESA NARIZ, ESA NARIZ

Cerda es una matriarca.
Lavín es un rayo láser, la lengua del rayo láser.
Hernán es un pobre diablo:
menos cojuelo que pobre, mucho más tonto, ¿anfibio
  el tonto?

Hernán Lavín Cerda es el que no ha sido todavía:
una sonrisa insepulta
(¿aliteraos los unos a los otros?),
una lágrima a caballo

en otra lágrima que no sabe si reír
o continuar siendo una lágrima
cojuela, sí, qué comezón, canija lágrima y cojuela,
ohhh picarona, qué carcajada, sí, ohhhhhh picaresca.

Equívocamente autónomo en su nariz, Hernancito
es aquella lengua que aún respira:
Hernancito es impúber y tierno.

EN MEDIO DEL BOSQUE

Cuando yo era niño, mi hermana me pegaba
    con un palo:
vivíamos en medio del bosque
y mi padre, de boca chica, levemente trompuda
y nariz larga, le pegaba a mi hermana con un palo.
Sobrevivíamos junto al río
y mi madre, algo cómica, le pegaba a mi padre
    con placer,
como jugando, y sus amigas
le pegaban a mi madre con un palo.

En estas condiciones, yo nunca supe si había llegado
    el momento
de llorar bajo las nubes
cuando mi hermana, de boca chica, graciosamente
    trompuda
y nariz larga, se iba perdiendo junto al río
mientras los vecinos les pegaban a las amigas
    de mi madre con un palo
en el instante en que mi abuela se mordía la punta
    de la lengua
y el abuelo me pegaba en la cabeza con un palo.

Así transcurrió el tiempo bajo esos árboles:
de improviso el estupor de una ardilla,
la zozobra de algún pájaro
y esta mano pegándole a mi hermana con un palo.

EL MURO

Con esta mano toco el muro de la Colegiata
en Santillana del Mar:
la porosidad de los dedos
es aún más profunda que la del muro
visitado a veces por el temblor de una mariposa
blanca.
Sé que este muro se levanta desde el siglo XII
y seguirá con vida cuando esta mano
sólo pueda permanecer en la memoria de algunos
como si fuese un poco de oxígeno
en la figura de una imagen temblorosa.

Me inquieta ver que acepto, impasible, mi fugacidad
con el mismo temblor de la mariposa blanca.
¿Qué tengo en común con estas praderas
donde otras bestias pastaban antes del Diluvio,
taciturnas y sin levantar los ojos?
Sin duda el asombro de que mis abuelos
hayan nacido junto al muro de la Colegiata
que mis ojos vieron durante el verano de 1987,
y acaso descubrirán en el último día.

Desde Morelia pienso con alivio:
lo que fue el viejo monasterio
habrá de permanecer allí, mientras la memoria

sea capaz de recordarlo
hasta que una noche desaparezca el cuerpo
como las bestias que pastaban con relativa inquietud,
inocentes,
y de pronto no haya nadie.

CON UNA PIERNA ARRIBA

Te volvieron loco. Me volví loco.
Estoy sentado con una pierna arriba:
sentado y durmiendo en el nicho
de cada día con esta pierna
que es extraña para mí, me desconoce.

El futuro es como respirar al revés.
Te volvieron loco. Somos el loco
tendido en el nicho con la pierna arriba:
el futuro es como ponerse los calcetines
por encima de los zapatos, cuando estoy lejos.

Pero el zapato tampoco existe
y tal vez no duele lo que no existe:
sin embargo esta pierna sangra
por la herida del loco que la observa
y grita no puedo más, no puedes más.

Habría que respirar al revés como la noche.
Debiéramos permitir que el nicho se duerma
sobre nuestro cadáver con una pierna arriba:
calavera de payaso que todo lo confundes.
Me volví loco. Te volvieron loco.

RECUERDOS DE INFANCIA

A mis amiguitas, con un picorete
A mis amiguitos, con un picotazo

Cuando yo era casi un niño, mi hermana
se desnudaba en medio de los árboles
y riéndose me pegaba con una piedra entre los ojos.
Y mi padre, de boca profunda,
le pegaba a mi hermana con una piedra enorme.
Todos recuerdan que sólo de la piedra salía sangre
porque la cabeza de la nudista
era infinitamente más dura que la piedra.

Sobrevivíamos recogiendo piedras como huevos
y mi madre, algo diabólica,
le pegaba al fantasma de mi padre con placer,
casi como jugando al simulacro del amor.
Y sus amigas, que a menudo la confundían
con mi hermana,
le pegaban con el entusiasmo de una piedra.

En estas condiciones, yo nunca supe
si había llegado el momento ideal para desnudarme
bajo la sombra de aquellos árboles
cuando mi hermana, de labios cómicos,
hundía sus uñas en el barro
y se iba perdiendo junto al río de aguas oscuras,
mientras los vecinos les pegaban a las amigas
de mi padre

con el filo de una piedra enorme
en el instante en que mi abuela, desdentada,
parecía morderse una vez más,
y el abuelo Gumercindo me pegaba con su cabeza
    de piedra en la cabeza.

Así transcurrió el tiempo bajo aquellas nubes.
De repente el asombro de algún pájaro,
la alegría de una mariposa
y esta mano pegándole a mi hermana
con la desnudez de una piedra entre los ojos.

LOS MUERTOS Y LOS VIVOS

El psicoanálisis ha demostrado
que casi todos los muertos
sufren complejo de inferioridad:
debido a ello son audaces, díscolos,
y van por este mundo a ciegas,
burlándose de los vivos.

Uno de los psicoanalistas de mayor prestigio,
muerto hace diez años, me hizo el otro día
la siguiente confidencia:

—Nunca te confíes de los habitantes de ultratumba
porque son muy vanidosos
y sólo esperan que alguna vez te mueras
para envidiarte con toda el alma.
Ellos saben que si algún día te mueres,
tu muerte será la más vital entre todas.
Sólo por eso te envidian
y lo que al fin permanece es un enigma.

También el psicoanálisis ha demostrado
que casi todos los vivos
mantienen una relación indescifrable
con el complejo de inferioridad:
debido a ello son pusilánimes, melancólicos,
y van por este mundo a ciegas,
burlándose de sí mismos.

LA SISTEMÁTICA

Computarizado el sistema no sólo materno,
brutalmente confuso el cómputo, maldita
cuestión ya no confortable:

maternalmente impía la sistemática,
maternalmente impía la sistemática,
maternalmente impía la sistemática.

¿Por qué no cambian el disco?
¡Se pegó el disco!
¿No ven que se pegó el disco?

Aguja sí. ¿Láser no? Láser sí. ¿Aguja no?

Computarizado hasta el delírium el sistema.
Computarizado hasta el tremens el sistema.

Maternalmente impía la sistemática.
Maternalmente impía, Dios nos libre, la sistemática.
Maternalmente impía, vete al diablo, qué confusas

las ondulaciones computarizadas de la sistemática,
las ondulaciones computarizadas de la sistemática,
las ondulaciones   las ondulaciones
computarizadas   computarizadas

de la inagotable sistemática
más allá del delírium tremens,
más allá, ¿láser sí?, ¿aguja no?, del delírium tremens.

EL VUELO

En memoria de René Magritte:
casi con sus palabras
dibujadas, desde lejos,
por el ojo
de una mano vertical

La vida, sin humor, dibuja un árbol.
La muerte, con suspicacia, dibuja otro.
El humor de la muerte dibuja un nido
y la vida, sin suspicacia, dibuja una tórtola
para que habite el nido imaginado por la muerte
que, con insistencia, dibuja otra tórtola.

Una mano que no puede dibujar nada, se pasea,
no sabe nada pero se pasea entre ambos dibujos
    como un loco
y de repente deja caer un huevo del tamaño
    del espíritu
en el nido imaginado, sin humor, por la vida.

Sólo entonces vuela una tórtola desde el fondo
y el árbol escapa de los límites de su dibujo
para fundar, con alegría, otro nido.

CASA DE LOCOS

Sobrevivo en esta casa de locos
donde las tuberías del agua potable
son trombones y trompetas de endiablado calibre.

No hay puertas ni ventanas en esta casa llena de locos
donde hasta la sombra de las tuberías
es una flauta que se refleja sobre los vidrios
como un intestino de endiablado calibre.

Todo aquí es caprichoso y movedizo:
los locos van y vienen, audaces,
sin que nadie sea capaz de detenerlos
en algún rincón de esta casa
destinada al arrebato de trompetilleros invisibles.

Repeticiones y silbidos en estas cañerías
donde la causalidad es lo único que no existe:
sólo el azar como un reflejo de sí mismo
provocando el movimiento de trombones y trompetas
con la musiquilla del agua en pleno descalabro.

Locuacidad y demencia en esta casa de endiablado
calibre
donde la teoría del conocimiento vuela detrás
de sus locos

que se entretienen tocando las tuberías de las flautas
en lo que pudiera ser un espectáculo
de doble fondo y lleno de desdobles:
algo así como el reflejo del azar en algún rincón
    de esta casa
donde la causalidad es el ritmo de un efecto
que todavía nadie conoce.

DIOS

Dios tiene mucho menos idea
respecto de la ninguna idea que ustedes tienen
    del mundo:
—Es decir de mí
                        dice Él
y desde entonces todo se complica
y lo que pudo ser doblemente sencillo
se complica el doble

Pero tus calzones son del color de las rosas
todavía son con vuelos
y a medida que el strip-tease
                                    avanza
lo doblemente complicado se descomplica
se parte de cero hasta que vuelve Dios
y vuelta a lo mismo:

lo que con tanto esfuerzo
se había logrado descomplicar
doblemente se complica
                              ya no se sueña.

Valparaíso, otoño de 1966

TRÍPTICO BREVE

1. El esclavo

Sólo cultivas un error
y te has convertido en su esclavo.

En lugar del monocultivo que te abruma,
¿por qué no imaginas una pluralidad de errores?

Sólo así te sentirías libre
hasta que las posibilidades fuesen infinitas.

Abandona tu esclavitud y busca siempre las huellas
del error en el error en el error.

2. El automóvil

Además de ridículo,
un automóvil en movimiento
es frívolamente peligroso.

Además de insólito,
un automóvil que no deja de pensar
en su obsesivo movimiento,
es contradictoriamente obsceno.

Además de absurdo,
un automóvil es cursi
en su agudísima inocencia.

Tan cursi como la muerte.

3. Caballo y perro

De improviso el perro corre para atrás
y el caballo, con asombro, grita como un perro:
caballo y perro galopan y gritan para atrás,
mientras los árboles observan el espectáculo
sin dejar de moderse las uñas:

—¡Es increíble! —gritan desde sus ramas.
Por un exceso de imaginación,
hemos perdido el equilibrio de la mente
y la naturaleza corre para atrás
como cangrejo obnubilado.

Perro y caballo saltan o huyen
sobre la realidad que todavía desconcierta,
y hasta el escenario es polvo
sin un lugar preciso.

LA NOSTALGIA

1

El desconocido que representó a Jesucristo
en la cruz, supo decir con una sonrisa cómplice:

—Lo insoportable de la resurrección
es que primero hay que morir.
¿Qué podríamos hacer si el asunto se complica
y finalmente no resucitamos, para desconcierto
y vergüenza de los espectadores?

2

Algunos creen que Jesucristo
alcanzó a decir desde la cruz en llamas,
cuando el Monte del Calvario
giraba entre las nubes
como si fuera la hélice de un helicóptero:

—Me declaro fanático total,
aunque no me identifico con nadie.
Olvídense de mí, no me hagan caso, no estoy loco.
Alguien ha dicho, de una manera casi póstuma,
que la palabra Dios no significa inteligencia

y es más bien una interjección, la eterna trampa
del verbo
cuyo principio fue un soplo.

Da lo mismo, entonces, que exista o que no exista,
aun cuando la nostalgia será perdurable.

BOLSA DE PLÁSTICO

En esta ciudad hay un hombre que lucha
contra una bolsa de plástico azul.

El combate no se detiene jamás
y la atmósfera es como el plástico.

Aquí todo es azul:
la misma cópula del hombre
contra su sombra

o la propia muerte
en el fondo de esta ciudad indescifrable
como la bolsa de color azul

bajo una lluvia de plástico.

EVOCACIÓN DEL SASTRE
(Leyendo a J.K.)

Desterrado de Santillana del Mar
durante el otoño del que no quiero acordarme,
mi padre descansa, supongamos que descansa
en una tumba de Santiago de Chile:
qué sé yo, sorprendido y triste, si heredé su cadáver.
Mi padre, que también era sastre y socialista,
casi nunca creyó en el absolutismo de Dios
o la falsa armonía de los ángeles,
aunque bondadosamente juzgaba a la Santísima
    Trinidad
con una sutileza casi metafísica.

Mi padre comiéndose las uvas de la tía Mercedes
que a medianoche se levantaba
como si estuviera bajo el poder de la hipnosis
y lo iba persiguiendo con un cuchillo entre los labios;
qué felicidad y asombro cuando los descubríamos
durante la representación de la comedia
    de las uvas verdes.

Atlético, blasfemo, de pronto huraño
    alrededor de la lámpara
de una sastrería donde el misterio se viste
    de casimir inglés.
Mi padre que fue testigo de la sospecha,

del vertiginoso apogeo y la decadencia de Stalin:
casi maoísta, casi stalinista enloquecido
en el mausoleo de Lenin
"y sin saber quién soy, España está muy lejos,
¿quién fui o llegaré a ser en la tumba de mí mismo?"

Cómo olvidarnos de aquella noche
cuando bailó con los ojos cerrados
en medio de los montañeses que lo aplaudían
como energúmenos regresando a sus cavernas:
hubo campanillas, castañuelas
y jamón curado al aire de la montaña,
entre pañoletas bordadas con tal hechizo
que el pulso de las figuras ecuestres
se transformó en algo secreto y sensual.

Una vez más lo descubro con el pañuelo rojo
    en la frente
y las castañas que comía con entusiasmo
como si fueran tórtolas en miniatura.
Mi padre, que además fue cartógrafo
y me hablaba de Stefan Zweig, Mahatma Gandhi
o La Gran Muralla, esa utopía de tres mil kilómetros
levantada entre China y Mongolia.
Mi madre corriendo bajo los eucaliptos del cerro
    San Cristóbal
y cazando tarántulas junto a la pequeña casa
donde una noche estalló el escándalo.
Mi padre que no descubrirá España
y quiso volver cuando ya no se pudo:
sólo ruinas en el centro de su próstata
y esa falta de oxígeno
en la resurrección de la carne cruelmente diferida.

Mi padre que fue cultivando la sospecha,
se olvidó de la retórica de los grandes políticos
y en mayo de 1966, eso dicen, desapareció
    como un pájaro
hacia el fondo de sí mismo,
manteniéndose fiel a su naturaleza escéptica:
gracia y tormento de mi padre, ese desconocido
que todavía me habla de las fuerzas ocultas
del Cantábrico, y era sastre, pastor sin ovejas
y supongamos que socialista.

EL DESPERTAR

México despierta. Es todavía de noche y sigue lloviendo. En la avenida División del Norte hay un pájaro de color indescifrable: inmóvil y solitario, trata de ensayar algunos trinos. El árbol tiembla. Casi no tiene hojas y su corteza es del color del pájaro. Árbol y pájaro ensayan algunos trinos. Me detengo y, bajo la lluvia, los escucho con asombro. De pronto, alguien solloza. Levanto los ojos, muevo las manos, interrumpo mi camino junto al jardín. Un mendigo discute con otro: no se miran, se ríen, ya no se hablan. El más joven quisiera olvidarlo todo, pero se arrepiente. Da un grito, cierra los ojos y se arrepiente.

En el urinario que hay al fondo de la iglesia de San Juan Bautista, me tropiezo con una vieja semidesnuda: sonríe como una niña después de tomarse la leche. Casi no tiene dientes. Con permiso, le digo, pero ella no se mueve hasta que salgo de allí con un poco de miedo. Entonces corro entre dos palmeras y me precipito hacia el interior del templo donde un sacerdote de muy baja estatura, casi un enano, explica a unos cuantos feligreses que el fin del mundo sucederá en los próximos días y que el castigo puede ser terrible, sin ninguna misericordia.

UNA GOTA DE SANGRE

Deslizas la máquina de afeitar
sobre tu mejilla izquierda
y en el espejo aparece una gota de sangre
que cae sobre tu camisa blanca.

Sólo hay sangre en el fondo del espejo:
fuera de él no hay nadie
y sigues afeitándote con algo de temor
en una atmósfera equívoca.

Levantas el brazo y disuelves la espuma
con un poco de agua,
pero el espejo se mantiene imperturbable.

Sin perder un segundo te observas
y al fin descubres
que frente al espejo no hay una sola imagen
que pueda ver tu rostro nuevamente.

DINOSAURIOS EN 1967

En el sur de Tanzania, junto al lago Tanganica,
sobreviven los dinosaurios en el olvido.
Pude verlos durante la primavera de 1967
y jamás olvidaré su imagen:
una dinosauria más o menos joven,
de cuello aún más largo
que los cuellos hereditarios, la piel inconclusa
como la sombra del viento, y los ojos
más amarillos que las aguas del lago.
Junto a la dinosauria, una cría con la visión extraviada
cuya figura tiene el tamaño del avestruz en la noche.

Biólogos, paleontólogos y hasta bioquímicos
piensan que mi descubrimiento es falso:
no pueden creer que yo sea amigo de los dinosaurios
desde aquel viaje a Tanzania en la primavera de 1967.
Dicen que perdí la razón, que soy un farsante,
    un megalómano,
que el ritmo de mi química cerebral es incierto
y mi tartamudez acabará en una desarticulación
    dramática.

Sea como fuere, sobrevivo junto a los dinosaurios
del lago Tanganica
y me siento muy triste
cuando los veo sollozar con sus ojos desnudos
en esta primavera que permanece inmóvil
como la piel o la sombra del viento en la noche.

LOS BOYARDOS

La boyarda se desnuda con sutileza
y el boyardo, enfermo de piedad,
no puede, no sabe, no podría desnudarse y sonríe
como un caníbal enfermo de cordura
que de pronto brinca, riéndose sin mucha sutileza,
a la manera de una pulga en el siglo XV.

Avergonzada por casi todo, la boyarda llora
como una pulga que no podría saltar
porque su propia desnudez no lo permite.
Algo dogmática en su dolor, la boyarda llora
y su llanto, como si estuviese enferma de piedad,
es aún más sublime que el temor de Dios
a comienzos del siglo XV.

Estamos en Transilvania, hemos abandonado Rusia
y hay un poco de sangre en la boca del boyardo
que no deja de sonreír junto al cuerpo desnudo
de la boyarda que lo observa sutilmente,
habiendo perdido, por exceso de piedad,
el poder no siempre equívoco del amor.

Ahora empieza de nuevo la lluvia.
Lo más probable es que nunca deje de llover
    en Transilvania

donde un pope ha descubierto a los boyardos
    que sonríen
como bufones con algo de vergüenza.
De improviso también el pope se desnuda
    con suspicacia,
sonríe junto a ellos, brinca a la manera de una pulga
y los tres acaban por burlarse de su propia desnudez
que algún día tuvo condición de dogma.

DESNUDOS EN EL SÓTANO

Elisabeth se desnuda en el sótano del Aberdeen Hotel:
tiene la cabeza muy chica, como de tórtola,
y nació durante el invierno en un sótano
    de Hamburgo,
diez años después de la guerra.
Su cabeza es erótica, como de tórtola
ensimismada por el miedo,
y a menudo se burla de sí misma
sin que nadie pueda saber en qué momento
se burlará de los huéspedes que se burlan de ella.

Sigmund, el único nieto de la señora Helen,
se desnuda sin entusiasmo en el rincón más húmedo
del Aberdeen Hotel:
tiene la cabeza muy cómica, ni grande ni chica,
y nació durante el otoño en una clínica de Viena.
Su lengua es confusa, como de filósofo
ensimismado por el miedo de su tórtola,
y de pronto bailan desnudos entre botellas vacías
como si recién hubiese terminado la guerra.

Nueva York, noviembre de 1983

PROSAS CASI PROFANAS

1. Momias de Guanajuato

No tienen ojos ni labios, hablan en voz baja, y el erotismo es en ellas una visión de ultratumba. La más vieja me besa en la boca y se ríe sin ninguna misericordia; la más joven debe tener unos veinte años y es una niña que tiembla, no sabe hacer otra cosa que ponerse a temblar, y solamente se burla de la risa de la más vieja entre mis brazos. Yo las observo con asombro y quisiera vivir junto a ellas para siempre, pero me temo que es imposible. La más vieja me habla de su amor por las flores y los árboles:

—En el jardín de mi casa hay fresnos y tulipanes. Las hojas de los fresnos aparecen como acostadas y son agudas en el ápice, con dientes marginales. Cada hoja está compuesta de hojuelas pequeñas, casi elípticas, y su movimiento se convierte en un rumor que desconcierta. Es la voz de Dios entre los árboles: una voz que nadie podría reconocer. La madera es blanca, profundamente elástica, y la corteza es cenicienta como una piedra rugosa que se ha estrellado en el aire. Los tulipanes tienen la raíz bulbosa y seis pétalos amarillos, rojos, del color del mediodía: lanceolado es el espíritu de la flor con aspecto de turbante. Su figura es una flecha de ballesta, un rayo, un colibrí que tiembla como si hubiéramos llegado al último día.

De pronto la más joven, que dice llamarse Laura, se quita el corpiño, las medias de seda, y empieza a bailar desenfrenadamente un ritmo antillano; tal vez una rumba, un merengue, o algo por el estilo. No se ve a nadie pero alguien toda la música detrás de los árboles. La más vieja sigue en mis brazos y su rostro de momia es sobrecogedor: no hay ojos, es cierto, aunque las cejas le han crecido como las hojas de los fresnos. Su nariz es un signo que invita a la comedia y en sus mejillas abunda el color del plátano.

Laura no ha interrumpido su baile:

—Me abruma la felicidad —dice agitando las caderas como si la hubiese poseído el demonio. Ha ocupado todo el espacio y semidesnuda sigue bailando junto a los árboles.

—No la mires, olvídala —grita la más vieja—: no intentes descubrir su sexo. Si lo haces, habremos perdido la memoria y el humo de las nubes lo cubrirá todo.

—Veré si puedo escapar de ella —digo sin énfasis, pero me voy hundiendo en esa rugosidad que se esconde bajo el pubis de Laura.

2. La neurosis de los padres

Todo hijo, apasionado, ceremonioso o indiferente, hereda la neurosis de sus padres. Su libertad es una consecuencia de esta condición dependiente; por ello, el parricidio no conduce a nada bueno: en él termina la esclavitud y, sin duda, la libertad pierde el polo opuesto donde nace su equilibrio.

Cuando el padre muere, la neurosis del hijo puede alcanzar su madurez o su total decadencia. No hay puntos intermedios en este proceso; el salto cualitativo es muy brusco, muy violento, de modo que el apogeo y el fracaso se confunden en un punto del mismo ángulo.

Puede afirmarse que en esta circunstancia la libertad alcanza su más alto grado de relativismo: gradualmente el hijo sobrepasa la edad del padre y se convierte en una bestia más peligrosa y dañina. Su neurosis, entonces, ya no tiene la frescura de la juventud. Habiendo perdido toda inocencia, tal vez el hijo esté en condiciones de cometer el parricidio en el cuerpo de aquella sombra que todavía le pertenece.

3. Problemas de la respiración

Respirar por la boca me da sueño. Y si respiro por la nariz, además de ser un espectáculo lamentable, sólo estoy contribuyendo a la confusión general. Al fin hemos perdido toda ética y somos náufragos en el desierto. Se nos fue la última esperanza y los ángeles del Apocalipsis, idiotas como siempre, aunque algo lúcidos, decidieron seguir burlándose de nosotros, y en eso estamos.

Por lo que a mí se refiere, sólo me atrevo a decir que soy un antropófago sin memoria y habitualmente respiro sin darme cuenta: nunca sé si lo hago por la nariz o por la boca. Es algo fundamental pero no puedo y sólo trato de olvidarme de mí mismo. No hay contradicción en lo que digo y cuando todo va bien, ya ni me acuerdo del carácter despótico de mi memoria.

¿Qué podríamos hacer, entonces?

Acaso intentar nuevamente un ejercicio de larga respiración, como en los tiempos antiguos. Intentarlo por si las moscas.

4. Disidencia

Aún dicen que la realidad es surrealista. Yo formo parte de la disidencia y casi no tengo que ver con los aduladores de la realidad. Podríamos decir, por último, que soy un individuo más o menos normal en medio de Dios y su desequilibrio.

5. Río subterráneo

Cómo palpitan mis oídos. Seguramente me estoy volviendo loco. Existe una locura que se origina más allá del vestíbulo, allí donde el oído interno se convierte en un río subterráneo. Por ahora no me atrevo a navegar en sus aguas. ¿Es o no es un río navegable? ¿Cuál será la verdad en este caracol que naufraga en su vestíbulo? Uno duerme como puede, pero la noche es cruel y en ella me transfiguro: el tic-tac de la locura cuyo ritmo es de serpientes entrelazadas que nunca dejarán de moverse en las aguas del vestíbulo. Todavía no sé si me escucho o estoy sordo; todavía no sé quién me hace gestos desde el tímpano. De pronto esa sombra da un martillazo y desaparezco en el túnel del caracol que umbilicalmente me sostiene en su última tentativa.

6. Las tres condiciones

Decía mi abuela Odilia, un poco antes de ser dominada por la arteriosclerosis, que sólo se requieren tres condiciones para alcanzar la felicidad en este mundo. La primera: ser imbécil. La segunda: ser egoísta. Y la tercera: gozar de buena salud.

—Pero nunca olvidemos que si falta la primera condición —decía mi abuela después de un largo bostezo—, nada es posible y todo estará perdido.

7. La creación

Se supone que Dios, apresuradamente, creó el mundo en seis días. Lo hizo sin mucho cálculo y las cosas no le salieron muy bien: los monos, como si fueran humanos, perdieron su equilibrio y empezaron a hablar de manera confusa, enredando las palabras o provocando un ruido infernal. Lo mismo sucedió con los árboles; se confundieron unos con otros hasta crear una atmósfera babélica. Enredo de árboles como monos y de monos como árboles. En estas condiciones, algunos monos le ayudamos a plantar otro tipo de árboles, pero Dios nunca reconoció nuestra ayuda. Y una noche, aprovechando un descuido de vigilancia, nos caímos por uno de los agujeros que a Dios se le fue de las manos y desaparecimos del universo para siempre.

8. Las palomas

Mi madre es muy divertida. Vive en el séptimo piso, acaba de cumplir ochenta años y se ha olvidado hasta de su nombre. Diariamente se levanta, se pone los anteojos, baja a comprar el pan, las manzanas, el dulce de membrillo y, como autómata, cruza la calle y se sienta en un banco de la Plaza de Armas de Santiago de Chile. Allí descubre que las palomas no tienen rostro: todas son iguales y no podría reconocerlas por su nombre.

Yo soy muy divertido. Sigo viviendo en el tercer piso, acabo de cumplir cuarenta y cinco años y me olvidé hasta de mi propio nombre. Aún desconozco mi figura: no sé si soy chico, gordo, calvo, lleno de arrugas como una nuez o más barbudo que un orangután. Todavía soy su hijo, diariamente me levanto, me lavo las orejas, me pongo los anteojos, bajo a comprar el pan, las manzanas, el dulce de membrillo y, como autómata, cruzo la calle y me siento en un banco del Zócalo de Coyoacán. Ahí descubro que las palomas de la iglesia no tienen rostro: todas son iguales y tampoco podría reconocerlas por su nombre.

—¿Cómo te llamas? —me pregunta ella con ternura.

—No lo recuerdo —le digo sin mirarla.

UNA LLAMADA TELEFÓNICA

Un teléfono rojo
sobre las arenas del desierto:
llamando, qué día es hoy, siempre llamando.

Un teléfono y nadie más,
un sonido en la espuma:
qué noche, hazme el favor, qué larga noche.

Alguien llamando, nunca será otro día, tal vez alguien
desde la espuma del teléfono:
quién fui, hazme el favor, qué oscuro es el sonido.

La visión es espuma, como en el primer día.
El sonido es arena, como en el último.

Alguien seré, hazme el favor, alguien me llama.
Siempre el mismo teléfono y nadie más:
qué lluvia es hoy, el mar no vuelve, qué noche
    antigua.

Un teléfono rojo
sobre la espuma del desierto:
llamando, quisiera dormir, tengo sed y llamando.

LA VISIÓN DEL CARNICERO

He sido carnicero por vocación.
Alevoso he llegado a ser en este desierto
donde fui un niño entre animales que pierden la vida.
Todo anda bien hasta que de pronto la carnicería
    me aburre
como el zumbido de aquellas moscas cuyo ritual
    compartimos.
Me aburren los cuerpos que se desarticulan sin piedad
y nadie podrá explicarme qué sucede, ahora, dentro
    de poco,
cuando voy por las calles todavía sin lluvia.
Me voy de pájaro con alas pequeñas, casi sonámbulo.

No cultivo la zoolatría ni la zooterapia
y soy más bien un zoófobo que únicamente solloza
    o sonríe
bajo la luz que cae del lomo de los perros,
esos caballos con la mirada perruna,
de niño perdido, de insecto inmóvil.

Hasta hoy no me atrevo a pensar en voz alta.
Nunca he sabido qué se necesita para ser
    un sonámbulo.
Algunos dicen que me vino la locura
porque decidí perder la memoria y quedarme mudo

como los erizos que respiran
o se mueven con prodigiosa lentitud
y lo ignoran todo.

Más que un carnicero, soy aquel sonámbulo
que abjura de las artes de la carnicería
y no quisiera perpetuar la imagen de su última bestia
cuyos ojos cuelgan, nonatos y cómplices,
de una osamenta debilitada como mi vocación.

Soy carnicero vacante que al fin recuerda la luz
o el aleteo de sus moscas.

EL ATAÚD AMARILLO

Yo, el ataúd amarillo, estoy muy triste
porque se me murió el cadáver
y no puedo enterrarlo en mi vientre:
no hay espacio, cómo me duelen
las articulaciones, no hay espacio;
quisiéramos dormir, no es algo fácil,
me voy durmiendo poco a poco.

Sueño que estoy muy triste
porque no sé a quién corresponde
el cadáver que recién se nos ha muerto
y no sabría cómo resucitarlo en mi vientre:
no hay espacio, el cadáver tiembla, sonríe,
se agita en su muerte sin caber en mí, no hay espacio.

Entonces yo, el ataúd amarillo, escapo a través
de la ciudad
y termino en el rincón de un velatorio público
donde me observan dos mujeres de edad indefinida.
Una de ellas dice después de un largo silencio:

—Dios mío, este pobre ataúd
no tiene dónde caerse muerto
y le fallan las articulaciones y la memoria.
¿No crees que debiéramos morder su lengua

para ver si permanece mudo, si se levanta
o reacciona mandándonos al infierno?

—Claro que sí —responde la otra y muerde al ataúd
en una de las últimas articulaciones
de su cadáver que no tiene dónde caerse muerto.
Amarillo en su espíritu, el ataúd tiembla
y en su propio espectáculo
es capaz de emocionarse hasta las lágrimas.

De pronto salgo del sueño y no estoy muy triste
porque ya no me importa saber a quién corresponde
el cadáver que recién se nos ha muerto
y no hay espacio, la resurrección es amarilla,
nunca hay espacio para sepultar al moribundo
en esta tierra de nadie.

LECCIÓN DE ANATOMÍA

En estricto sentido anatómico,
la pierna es la parte del miembro inferior
que está comprendida entre la rodilla y su tobillo.

También hay otra zona denominada muslo
sobre la que todavía no existe claridad absoluta.
No obstante, se supone que sigue estando ubicada
entre la cadera y la rodilla que le corresponde.

Dentro del uso común, sin embargo,
se utiliza la palabra pierna
para designar a todo el miembro
más o menos inferior del ser humano.

Aún se cree que el hueso del muslo es el fémur
articulándose en una cavidad de la cadera
llamada acetábulo:
es el más largo, el menos visible, el más ambiguo
y no todo ser humano lo lleva en su muslo.

En estricto sentido anatómico,
los otros huesos de la pierna
son el peroné, la perplejidad y la tibia:
los propiamente dichos en movimiento perpetuo
entre la temerosa rodilla y su tobillo.

CONCLUSIONES ACERCA DEL ENEMIGO

Todo el mundo sabe que pertenezco al enemigo
y hasta mis amigos
pertenecen al enemigo
y mis enemigos, no obstante el desconcierto,
también pertenecen al enemigo.

Pero los verdaderos amigos
nunca fueron mis amigos
y los enemigos, pese a todo,
tampoco son mis enemigos.

Con absoluta incertidumbre, decido iniciarme
en la contemplación del universo
y llego a las siguientes conclusiones:

A) El universo no existe
y sólo podríamos explicar su existencia
como si fuera una burla del enemigo.

B) Pero ya vimos que el enemigo
es en cada momento el enemigo
y eso complica las cosas
hasta el punto de que todo pertenece al enemigo.

C) Sin embargo, la realidad es siempre nueva
y tiene la virtud de escaparse de sí misma
como sucede con mis amigos
que sin esperanza tratan de explicar el mundo
a través del dibujo de un círculo en el aire.

LA ÚLTIMA SOLUCIÓN

Dejar de respirar es la última
solución. Un poco antes,
podríamos escoger otras alternativas:

1) Levantarse temprano y ver que las nubes
son independientes del cielo
cuyo supuesto equilibrio
las convoca o las confunde.

2) Acostarse muy tarde
y descubrir que las estrellas tampoco respiran
y no mantienen ningún vínculo
con el pensamiento ideológico
que supuestamente las ilumina.

3) En todo el mundo se sabe
que las ideas no son más que ideas
y esto es así, como lo oyen,
sin admitir discusión alguna.

4) Casi nunca una nube es una idea,
nunca una estrella es una nube
por donde las ideas atraviesan el espacio
desde una galaxia a un campo magnético,
desde un campo magnético a otra galaxia.

5) Acostarse muy tarde y descubrir las nubes,
levantarse temprano y descubrir la noche
más allá del cielo
cuyo supuesto equilibrio
nos convoca o nos confunde.

Dejar de respirar es la última
evidencia. Sobrevivimos en el aire
y todo pensamiento es ilusorio.

MESTER DEL EMBALSAMADOR

Todavía me llamo Ludovico Alcántara, soy
 embalsamador
y hago lo posible para que el rigor mortis
se extienda por el mundo con absoluta naturalidad.

Desde hace más de veinte años (23 para mayor
 exactitud)
he cultivado las artes de la taxidermia
en esta embalsamaduría de reconocido prestigio
que todos conocen bajo el nombre de *La Resurrección
 Permanente*.

Debo reconocer que para mí, desde aquellos días
 de juventud,
no hay nada tan estimulante
como lograr, sin mucho sacrificio, que todo se vuelva
 momia
por medio de este sutil mester del embalsamador
que aprendí a través de los consejos de mi padrino,
don Marco Pacuvio Aguilera,
en aquella ciudad del sur de Chile llamada Temuco.

Se puede decir que en un padrenuestro descubrí
 las claves
para que exista un buen embalsamamiento:

antes que nada, lo recomendable
es conseguir un cadáver optimista y lleno de mundo,
cuyo buen humor, sin duda, será un factor de mucha
importancia
para que mis manos, en un acto muy parecido
a la prestidigitación,
puedan extender el rigor mortis con absoluta
naturalidad.

Si el cadáver está dispuesto a colaborar, no hay nada
que pueda impedir la creación de nuestra obra de arte
en un mundo agobiado por la intolerancia de algunos
tecnócratas
cuya momificación es un peligro público,
no tanto por mantener vínculos con aquellas momias
de identidad indiscutible,
como por dejarse embalsamar antes de tiempo
en una opción que sólo corresponde a cierta filosofía
sustentada en la estupidez involuntaria y sin límite
alguno,
que indudablemente es la peor de todas.

Aún me llamo Ludovico Alcántara, soy momificador
con entusiasmo
y haré lo imposible (ustedes son testigos)
para que el rigor mortis se extienda por el mundo
con absoluta naturalidad, pues nadie ignora
que es algo muy saludable
desde donde podemos encontrar esa felicidad
un tanto esquiva,
como al fin le sucedió a don Marco Pacuvio Aguilera
en aquella ciudad llamada Temuco, ahí donde nunca
llueve
y hay más de cuarenta grados a la sombra.

UNA CANCIÓN IMAGINARIA

Casi nunca viajé a París, pero me la imagino.
Nunca recibí el Premio Nobel, pero me lo imagino.
Casi nunca tuve relaciones con Claudia Cardinale
o con Lesbia, la de Catulo, pero me las imagino.
Nunca fui huésped del Santo Padre, pero
    me lo imagino.
Casi nunca devoré carne humana, pero me la imagino.
Nunca fui víctima o verdugo de nadie, pero
    me los imagino.
Casi nunca ejercí mi profesión de millonario, pero
    me la imagino.
Nunca salí del Tercer Mundo, qué locos, pero
    me los imagino.
Casi nunca imaginé que el futuro era, de nuevo,
una mujer desnuda, pero me la imagino.
Nunca supe darme cuenta
—como diría Cardoza y Aragón—
que se trataba de los brazos de la Venus de Milo
sosteniendo la cabeza de la Victoria de Samotracia,
pero me las imagino bailando para mí
en el vértigo de esta noche de primavera.

TRÍPTICO DE DIOS

1. La encrucijada

Hasta el mismo Dios, al inventar el mundo,
tuvo que orientarse a través del tiempo.

Pero el asunto se volvió más difícil
cuando Dios supo descubrir que el tiempo
fue siempre una encrucijada mortal
que inventaron los dioses más antiguos
para dolor y alegría de todos.

2. El hombre más feo del mundo

Y dijo Dios al verse reflejado
en el espejo de agua amniótica
que respiraba en el vientre de su madre:

—Nunca pensé que sin angustia
me convertiría en el hombre
más feo del mundo.
Es un desafío estimulante,
casi al final de todo.
Un extraño privilegio.

3. La Sombra, la Sombra

Y sin saber lo que decía, el Espíritu Santo
se dijo a sí mismo desde muy lejos,
con algo más que lágrimas
en el cristal de sus anteojos:

—Si la Sombra persiste,
consulte a su médico.

JUGUETE CASI CÓMICO

1. La nariz de Aquilino

A nuestro amigo Aquilino Huerequeque
le volaron la nariz de un machetazo
en las inmediaciones del río Amazonas.
Fue una nariz de gancho, como mango de paraguas,
y su hermosura no era de este mundo.
Aquilino permaneció desnarigado durante varios días
hasta que al fin le volvieron la nariz a su lugar,
pegándosela con babas de serpiente y savia de árbol.

Pero hubo una equivocación imperdonable:
la nariz fue pegada al rostro con los orificios al revés
y Aquilino Huerequeque tuvo que acostumbrarse
a su nueva vida
que consistía en estornudar hacia el cielo
o fumar como chimenea que lanza el humo
por las nubes.

Desde aquella mañana del jueves 7 de octubre,
Aquilino se ha convertido en la máxima atracción
turística
que ustedes pueden admirar si navegan
por el Amazonas.

2. Vuelve junto a nosotros

De Santaclaustrofobia enloquece
esta nariz oblonga
como apéndice mucho más de monoludens
que de sapiens o de faber.
Nariguda nariz de erudito
precoz, genio inmortal
o monstruo de la naturaleza.

Nariz colgante de la ternilla
de sí misma, desdoblada en su locura
de oblonga ineludible, como se dijo, Diosmente,
al recordar el origen de su olfato en el aire.

Por ella estornuda y bosteza el lúdico,
por ella el lúcido en su silencio
a menudo genial o entre las nubes.

Vuelve junto a nosotros, nariguda nariz
del primer día.
Vuelve como si estuviéramos en el último.

3. La nariz de Sócrates

Elefantiásica es la nariz de Sócrates Huerequeque,
el único hermano de Aquilino:
más que por sus dimensiones,
lo creo y lo repito por esas arrugas de mastodonte
que suben hacia la región más enigmática
del tabique nasal.

Sócrates observa el perfil de su nariz en el espejo
y descubre que la realidad es una parodia
de otra realidad imperceptible:

—Nunca pensé que llegaríamos a esto —dice
con algo de tristeza—.
¿Será éste el único modo de ser contemporáneo?
El ojo mío se pierde en el tabique, la visión
se me nubla
y me pongo sentimental, burlón, escéptico
a la manera de Aquilino, mi fraterno burlador
siempre burlado.

Más que enigmática es la nariz de Sócrates
Huerequeque:
no lo digo tanto por sus dimensiones
como por esas arrugas de paquidermo
que equivalen a los primeros signos cuneiformes
en la historia vacilante de la eternidad.

4. Ladrido y mordedura

Nariz que ladra, según y cómo:
muerde, no muerde, muerde, no muerde
pero tampoco deja dormir.

Nariz que ladra, según el cuándo:
duerme, no muerde, muerde, no duerme
aunque tampoco se abre para seguir.

Nariz que ladra en la claustrofobia.
Nariz que ladra en la fotofobia.
Nariz que ladra en la teofobia.

Nariz para cortar queso. ¿Nariz de Celestina?
Nariz de Celestina. ¿Nariz para cortar queso?
Celestineando. Celestineando.

Torpe nariz que ladra sin saber cómo.
Loca nariz que muerde sin saber dónde.
Turbia nariz que ladra sin saber cuándo.

5. Como un huérfano

A pesar de la anemia perniciosa,
el apetito de esta nariz
no tuvo límites.

Aquella mujer lo sabe, lo adivina
y quisiera arrepentirse a tiempo
pero es inútil, siempre es inútil.

A pesar de la amnesia perniciosa,
lo libidinoso del apetito no se perdió en el olvido
y la nariz tiembla como un huérfano
en la medianoche de esta ciudad estéril.

6. Una canción muy antigua

¿Cura para una nariz roja?
Succionar como un demonio
hasta volverse graciosamente azul.

Sin caricatura no hay hermosura.
No hay diablo que valga
sin caricatura.

La universalidad de esta canción
tiene que ver con el Maligno
cuya nariz es más roja que las nubes
infiltradas por el sol en el verano.

¿Cura para una nariz satánica?
Succionar como el ángel
de las tinieblas
hasta que el azul pierda la gracia de su equilibrio.

7. Caballuno el rostro

Las ovales caras caballunas
y una nariz al fondo
de los tonsurados, ungidos y castrados
en un paisaje de fin de siglo
con carnes hambreadas oscuramente.

Cabezas desolladas, ojos vidriosos
y una inmensa nariz al fondo del paisaje
donde la realidad no es una sola
y hay una rata multiplicándose
en las ondulaciones de la nariz del siglo.

Caballuno el rostro. Hocico en sangre.

8. Descripción de Venancia

Hay mujeres que estuvieron a punto
de ser hermosas,
pero un desliz desafortunado
hizo que el encanto acabara en comedia.

En 1981 conocí a Venancia, la novia
de Aquilino Huerequeque, y de inmediato la describo:
cabellera de color caoba, frente muy amplia, cejas
mínimas
aunque precisas en su dibujo, pestañas largas, ojos
como los del colibrí persiguiendo a su mariposa,
nariz de Afrodita, labios perfectos como de virgen

y luego el desliz en el vacío del mentón, la insólita
    mandíbula.

¿Qué pudo suceder en tal espacio?
¿Cómo es posible que todo concluyera en un gesto
de espiral endemoniada?
Casi no hay mentón en Venancia, el sueño
    de Aquilino.
Sólo de vez en cuando ella sonríe
y todo se ilumina como si los comediantes
fueran subiendo al escenario.

9. La última comedia

Jamona en movimiento casi perpetuo
con la nariz ganchuda
para olfatearlo todo:
jamona en la imaginación olfativa
de Ángel Castillo,* cómplice de Jack Livi,*
matarife cuya obra quedó inconclusa
en el laberinto de esta ciudad desértica.

Jamona en su establo,
ternera transfigurada hasta lo absoluto
con esa nariz de rabo o de salchicha:
ternera multípara en rotación abierta,
ternera multitudinaria en traslación gozosa.

Hueles a comedia agridulce, capricho mío:
no hay estiércol, sin embargo,
no hay estercolero para el desliz de tu figura.

* Destacados personajes, junto al autor, de una especie de Santísima Trinidad.

10. Esa mirada de jabalina

He descubierto a Dios en la nariz de la jabalina
que nos observa desde el zoo
con una curiosidad de criatura religiosa.

Entonces pienso en Venancia, la musa de Aquilino,
y mi júbilo es infinito porque dicha nariz es la prueba
de que la reencarnación existe no sólo en este mundo:

también es real en las vibraciones aparentemente
imaginarias
desde donde seremos observados por Dios
durante mucho tiempo,
con esa mirada de jabalina sospechosa.

LA BURLA DE LOS CHINOS

Creo que los chinos tienen la razón:
cualquier occidental que descubra su rostro
    en el espejo,
verá que los ojos de nuestra raza
son de vaca enferma de melancolía
y separados entre sí, sospechosamente separados.

Cualquier occidental que observe su rostro
    en el espejo,
descubrirá que somos capaces de sonreír
    como sonámbulos
o más bien como gatas hipnotizadas
por el vaivén de un péndulo.

Cualquier occidental que se descubra a sí mismo,
podrá ver cómo crecen nuestras grandes orejas
más allá de la nariz que nace arriba,
muy arriba, desde la frente
y en medio de los ojos
separados entre sí, sospechosamente separados.

Creo que los chinos —al menos en este punto—
    no se equivocan:
por eso se ríen de nosotros como si estuvieran
    en el circo
donde los payasos bailan, sonríen, cantan o sollozan
como si acabaran de descubrir su rostro en el espejo.

PEQUEÑA HISTORIA DEL BIDET

Para aquellos que nada saben
o más bien saben muy poco,
les digo que el bidet es un recipiente de forma oval
sobre el que toda persona puede sentarse a horcajadas
para dar principio al ritual del lavamiento
de las partes más pudendas,
aquellas de mayor ambigüedad y trato a veces torpe,
sin duda las más recónditas.

De acuerdo a la historia de los artefactos con linaje,
se asegura que el bidet nació en el este de Francia,
muy cerca de Estrasburgo, y poco después
 fue llevado a París
en los días del célebre doctor Joseph Ignace Guillotin,
quien propuso la adopción de la guillotina
con un éxito indiscutible.
Como ustedes saben, se trata de una máquina
 prodigiosa
(así la consideraron a fines del siglo XVIII)
que no sólo sirve para decapitar a los condenados
 a muerte,
sino que también tienen la virtud de producir
 muy poco ruido,
conservando el silencio en aquellas atmósferas
que deben permanecer en silencio.

Si nuevamente pensamos en el bidet, veremos
 que tampoco produce ruido

aunque se trata de una invención
    más o menos rudimentaria.
No lo digo por su forma de naturaleza equívoca,
no lo digo por la elegancia más bien acústica
de su dibujo que parece venir de lejos
y es fiel a la estructura
de la mandolina, con cuerdas punteadas y dorso
    abombado,
sino porque nació de improviso, como la música,
    entre Metz y Estrasburgo.

Se desconoce aún el nombre de la primera cortesana
    que tuvo a bien
utilizarlo a horcajadas, como fue costumbre
    desde su nacimiento.
Algunos dicen que el placer inaugural
    le correspondió al barón
de Montpellier, Auguste Guillotin
(uno de los tres hermanos del distinguido Joseph
    Ignace),
quien tampoco supo cómo excusarse
    y recibió en carne viva,
luego de la propia horcajadura en el bidet de mármol,
el refinamiento del *guillotinement.*

La Revolución Francesa es hoy un instrumento
    de análisis
casi arqueológico, pero el bidet es todavía un artificio
de utilidad múltiple, aun cuando lo hayan concebido
    solamente
para la recuperación del espíritu
    en las partes pudendas.
Acerca de la guillotina es conveniente recordar
que su práctica se extendió por el mundo con un éxito
    indiscutible,

aunque para algunos no sea muy agradable
    reconocerlo.
De cualquier modo, las artes de la decapitación
    fueron más íntimas
y toda habilidad, en este sentido,
    se volvió menos cruel,
alcanzando dimensiones de verdadera excelsitud.

Ya es de noche, no estoy alegre ni sufro de melancolía.
Alguien puede creer que dije todo esto
porque la soledad no me permite sobrevivir
    como quisiera.
Sin embargo me siento muy tranquilo,
tal vez más tranquilo que nunca,
y estoy feliz porque ahora me dispongo
a dejar caer, con sumo cuidado,
    la parte trasera de mi cuerpo
(antiguamente se la llamó "zona sagrada"),
sobre el bidet que nos ofrece su surtidor de espuma
como si fuera agua bendita.

SE ESCAPÓ LA VACA

Del circo se escapó, y todos lloraban, la vaca.
Del convento, y todos reían, se escapó la vaca.
Del manicomio se escapó, y todos lloraban, la vaca.
Del cementerio, y todos reían, se escapó la vaca.

Era una pequeña vaca en el circo,
graciosa en el convento,
impúdica en el manicomio,
locuaz en el cementerio.

Nos hacía reír y llorar como Chaplin, al unísono.
No era irónica ni satírica: cultivaba el humor blanco.
Era más bien un mamífero inocente y sin ambigüedad.

Hasta que una mañana apareció el matarife
y el buen humor desapareció con las nubes
que sólo fueron un reflejo de los ojos de la vaca
huyendo del manicomio donde hubiéramos podido
vivir con alegría.

LOS AMIGOS

Cuando finalmente pude llegar al interior de la cueva
de los Trois Frères, en Francia, vi a un hombre
envuelto
en una piel de demonio irreconocible
que tocaba una flauta primitiva
como si estuviera conjurando a los animales.
Puedo decir que en la misma cueva,
pero más al fondo,
hay un ser humano dibujado en la roca húmeda
que todavía baila con cornamenta, cabeza de caballo,
cola de ave desconocida y garras de oso.

—Ese hombre soy yo, sin duda.
No lo digo con el fin de provocar un efecto literario,
sino porque descubro que su respiración es la mía
y es imposible dejar de sorprenderse.

Aún se oye la música de la flauta
y nos hemos puesto a reír como viejos amigos.

EL MINIATURISTA
Y OTRAS COMPLICACIONES

El hombre vino al mundo para traducirlo en palabras, y así, hacerlo más asimilable a la inteligencia del propio Creador. Ahora Dios ya se da cuenta y empieza a manifestarse satisfecho. Va a descansar otra vez, como el primer Sábado, y eso va a ser terrible.

Alfonso Reyes

1. Sistema encefálico

Todavía no sé de quién es esta cabeza que sigue durmiendo sobre mi cuello y dice que respira por mí, aunque la desconozco. ¿Cuándo se ha visto que una cabeza pueda respirar por otro en una atmósfera de tranquilidad absoluta?

Digamos que la cabeza no tiene límites, pero este juicio puede ser una mentira. Es cierto que en nuestro mundo no hay una realidad ilimitada, aunque parecería que el fenómeno de la cabeza no es de este mundo, sobre todo si pensamos en el poder de su metamorfosis. Aún se ignora cuál es la materia del espíritu encerrado en una cabeza que también es capaz de volatilizarse de un momento a otro. Lo que hemos dicho es una prueba del misterio que se oculta en ese universo mejor conocido como sistema encefálico.

Tocar fondo es casi imposible: nadie ha podido descifrar los signos que componen la urdimbre del cerebro. No se sabe si las palpitaciones provienen de un órgano con vida independiente o si se trata del espejismo de nuestra especie que intenta demostrar su humanidad por medio de las palpitaciones.

Sea como fuere, todavía no sé de quién es esta cabeza que sigue durmiendo sobre mi cuello y dice que respira por mí, aunque el asombro no me permite reconocerla.

2. Los pájaros

Hay un equilibrio imperceptible en la anarquía de los pájaros: su canto es una espiral que se fragmenta, un árbol astillándose. Todavía no aparece el sol y los pájaros ya perdieron la memoria: se desconocen entre sí, no saben lo que quieren y su locura no es de este mundo.

Uno de ellos, de plumaje rojo, tiembla en el momento de cantar y salta como una lombriz entre las ramas; trato de seguirlo con mis ojos pero es una visión que desaparece sin que nadie pueda conquistarla. Se esfuma el ojo detrás de la visión, como el pájaro en su nebulosa, y lo que pudo ser conquista es pérdida.

Lentamente vamos perdiendo el equilibrio, el canto se vuelve todavía más anárquico y antes de que aparezca el sol hemos perdido la memoria: ninguno sabe lo que quiere, nadie se reconoce en el otro y nuestra locura no es de este mundo.

Mientras esto sucede, los fragmentos de la espiral se precipitan y los pájaros abandonan su árbol en una desbandada interminable, más allá del sol.

3. Caerse de uno mismo

No es difícil caerse de uno mismo: basta con expulsar el aire antes de respirarlo. También se puede utilizar la técnica de pensar los pensamientos al revés, sin que uno mismo se dé cuenta. De lo contrario, el intento fracasa y se corre el peligro de respirar el aire antes de expulsarlo. En este sentido, lo más recomendable es que el espíritu no pierda de vista el objetivo final: caerse de uno mismo en uno mismo, sin límite ni medida.

4. Retrato de mi padre

Mi padre se llamaba Julio y nunca fue algo más que un proyecto; es lo único que me interesa de su personalidad: sobrevivió como un individuo lleno de individuos, tartamudeante y poco serio. Sus amigos fueron refugiados políticos, judíos pobres, payasos, libaneses y algunos anarquistas dedicados al estudio de los astros en relación con los fenómenos políticos y sociales de la más diversa índole.

Pasaban horas y horas discutiendo acerca de una discusión sin asunto aparente, pero más acá y más allá de todo tipo de ramificaciones. Arborescencias y deslizamientos desde ningún lado hacia ningún lado, dentro de un sistema sin sistema, como una cosa sin patas ni cabeza, o más bien un objeto aparentemente inútil y gracioso.

Yo me eduqué en ese ambiente: sinuosidades de una filosofía al margen de toda filosofía, juegos, fintas, intersticios, esguinces y una vitalidad lejos de cualquier intento de cristalización. Pensamiento líquido: pellizcos y jugarretas de los payasos dedicados a burlarse del estudio astrológico de los anarquistas en medio de una atmósfera llena de discusiones sin asunto aparente, pero más allá y más acá de todo tipo de arborescencias y deslizamientos desde ningún lado hacia ningún lado, dentro del dolor y las exclamaciones de los judíos pobres dedicados a poner en duda el sentido de las aficiones cósmicas de los anarquistas.

Esto era lo que quería decir. Transcurrieron algunos años y debo reconocer que soy un individuo lleno de individuos, tartamudeante y poco serio. Habitualmente me pierdo en sinuosidades que están al margen de toda especulación mística o filosófica.

5. El alacrán

Hace una semana fuimos a Colima y lo descubrí, digamos que pude verlo sin dificultad: el montoncito de arena y más allá un pequeño Circo Romano. En su interior algunos cerillos, un solitario alfiler y dos sombras moviéndose y espiándose sobre el polvo. Una de ellas convertida en cucaracha gorda y bigotuda; la otra, un alacrán de vientre rojizo y cola enroscada y tensa, según el momento. De pronto sentí que las palpitaciones de la cucaracha eran más rápidas y de mayor trabazón sinfónica, como en una danza humorística. Tuve la sospecha de que se trataba de parodiar la *Sinfonía de Leningrado,* de Shostakovich, en uno de sus temas. Claro, me dije, no cabe duda: este bicho es un descendiente directo de Bela Bartok. Así lo creo y me lo confirma el estado de ánimo de los actores hundidos en su propia obra.

Volvamos al escenario: el lugar de privilegio no es ocupado por ninguna orquesta sino por los caparazones, las patas y los bigotes de cada solista. Por detrás de la cola del alacrán parece dormir la cucaracha, después de su agitación y el alegro envolvente. Todo sigue inmóvil. Pareciera que ambos constituyen una sola trama o espiral suspendida en el fondo del Coliseo. No hay viento, no vuela un mosquito y nadie persigue a nadie.

Súbitamente el alacrán se mueve, pierdo el control de mi vista y no alcanzo a percibirlo. Más bien creo que sólo se mueven los granos de arena. Entonces me muerdo el labio superior, sólo el labio superior, y vuelvo a lo mismo: tal vez nadie persigue a nadie pero vuela el garfio del alacrán entre los bigotes de la cucaracha. Sobre la arena cae una gota de sangre y de pronto descubrimos que la música es el veneno ocupando el centro de la pista donde el arácnido pulmonado, como un mal acróbata, termina picándose su propio lomo.

6. Leyenda negra

Hay una leyenda negra en contra del aburrimiento. Dicha leyenda es injusta, pues ya sabemos que el aburrimiento es el estado natural de la flora y la fauna sobre nuestro planeta. La suspicacia, más o menos científica, ha demostrado que Dios fue la primera víctima de su propio fastidio, a los pocos minutos de haber creado el universo; ya no supo qué hacer con ese monstruo, cayó en una atmósfera de melancolía, y al fin prefirió quedarse mudo para siempre.

—Qué cansancio, Dios mío —dicen que dijo Dios cuando supo del vuelo de los pájaros de un país a otro—. Cuánta soledad entre las nubes. Cuánta ilusión óptica. No es fácil vivir en esta geografía donde todo pertenece al pensamiento salvaje.

7. Espíritu moderno

Disimula tu fracaso lo mejor que puedas. Nunca olvides que un fracaso bien disimulado vale por dos. Y decir dos equivale a doble sufrimiento, como corresponde a cualquier espíritu moderno que todavía cree en el futuro.

8. Mujeres

A veces te persiguen algunas mujeres no siempre equívocas. Suena bien como apertura, pero ya sabemos que la realidad no tiene mucho que ver con aquellas frases de buen sonido e ideología estimulante. A veces te persiguen algunas mujeres y las dejas pasar porque vivimos en otro tiempo. Ellas te hablan de amor, de alergias múltiples, de cirugía plástica, pero se disuelven como la espuma cuando vas a tocarlas con el índice de tu mano izquierda.

9. Cada día

Siempre estoy en otra parte. De vez en cuando me busco en mis corbatas, mis ojos, mis zapatos, y casi nunca me encuentro. Entonces empiezo a buscarme donde habitualmente no estoy y descubro que hay algo de mí en esos lugares; me aproximo a mí pero todo se esfuma y siempre estoy en otra parte. ¿Tal vez en mis zapatos, mis ojos, mis corbatas? Corro detrás del que nunca ha salido de sí mismo, grito como un niño, retrocedo y al fin estrello mi cabeza contra las piedras donde hay corbatas, ojos y zapatos esperándome.

10. Sobre la rutina

La muerte dejó de ser un acto insólito. Tal vez no lo fue nunca. Mientras tanto, ella suspira y sufre por nosotros, desde su posición agresivamente rutinaria. La muerte es un fenómeno de burocracia pura, y uno se pregunta si no es posible que a esto se deba su virtud o su grandeza.

11. La isla

El *Fairsky* nos acompañó durante siete días y siete noches junto al muelle de Acapulco. Fue como la aparición de una isla iluminada; una isla como un barco que llegará al puerto de Nueva York la próxima semana. Estoy observando el horizonte desde la playa El Papagayo, y el *Fairsky* es una estela de humo entre el océano y el cielo: un punto más blanco que el plumón de una gaviota.

Uno se pone triste al mirarlo desde lejos porque sabe que en algunos minutos lo habremos perdido para siempre.

12. El miniaturista

Cuando estoy aburrido, me dedico a la fabricación de ataúdes. Después de pintarlos de azul, amarillo, negro, rojo y verde, les hago tatuajes con esta aguja sin ojo por donde debiera pasar el hilo que todo lo cose.

Al finalizar el día, cada ataúd es una cajita de música no siempre fúnebre; allí canta la muerte con un erotismo que en verdad conmueve, y yo me pongo a bailar como un sepulturero sobre las tumbas abiertas donde sólo crece el musgo sin que ningún poder sea capaz de detenerlo.

Así pasan los años y uno sigue en lo mismo, jugando al miniaturista.

EL ÚLTIMO VIAJE

Cae la lluvia sobre el Narayama
y en la espalda llevo a mi madre moribunda.
Con dificultad vamos subiendo entre árboles
húmedos
hacia la montaña de color indefinido.
Cuando lleguemos a la cumbre,
abandonaré su cuerpo junto a las piedras.

Entonces vendrán los buitres
que devoran la lengua y los ojos,
hasta que al fin sólo podamos ver el esqueleto
o la calavera con algunos cabellos mojados
por la lluvia.

Empieza a caer la nieve y mi madre ya es un espíritu
en las manos de Dios que sonríe más allá de las nubes
que todavía se deslizan sobre la cumbre
del Narayama.

EL BUFÓN

Mientras estuvo con vida,
hizo morir de risa a todo el mundo.

Mientras estuvo en la tierra,
nos hizo morir de llanto.

Mientras estuvo en el aire,
hizo morir de envidia a todo el mundo.

Ahora que se ha muerto,
nadie quiere resucitar

para reencontrarse con él
a la vuelta de la esquina.

QUÉ GREGORIO, DIOS MÍO

Líbranos, Señor, del poeta
que todos llevamos dentro.
Cada vez que abre la boca
dice una frase inteligente.

Líbranos de esa boca
cuya virtud es no hacernos reír
como debiera, con lenguas y colmillos.

Líbranos, Señora, del elocuente
que simula su bostezo
o del mudo que estornuda
y cuyo vicio mayor es la inteligencia
que todos, al parecer, llevamos dentro.

Qué divina comedia tan elegante y despiadada.
Qué Gregorio Samsa tan distinguido y engañoso.

Líbranos, Señor, una vez más, pero no mucho.

LA DESPEDIDA

EL MAR ES OTRA HERIDA

El mar echado, como yegua insomne,
sobre la belleza de su propia herida.

Furiosa luz animal en este océano
cuando el verano es otra herida que deslumbra.

Toda la seducción del vacío en las olas del Pacífico
donde la materia es luz, como el cadáver de Einstein.

Reverberaciones de la yegua echada como espuma
que vino a estrellarse contra la playa en el crepúsculo.

Cuerpo de animal insomne que el viento de la muerte
no podría dispersar más allá de la luz de su herida.

CÍRCULOS CONCÉNTRICOS

Tal vez nunca debiéramos olvidar que hubo piedras
que en el firmamento se fueron borrando
como aquellos árboles
en bandadas de círculos concéntricos:

arborescencia de gorriones
que tal vez nunca debimos olvidar
entre aquellas bandadas de círculos concéntricos
desplazándose con imprudencia por los hoyos
del cielo:

no había dejado de llover y el cielo era
una constelación
de piedras borrándose en las profundidades
como habla babosa
o manotada de ahogado en círculos concéntricos:

qué muerte la de los árboles
en el vértice de la bandada de ojos
queriendo escapar de sus gorriones
en medio del llanto y la torpeza colectiva:

qué zozobra ecuménica en las honduras
del firmamento
donde las piedras van configurando la nonada

de los gorriones enloquecidos
como el humo de los círculos concéntricos:

¿de dónde viene esta urgencia de rescatar las huellas
que algún día fueron borrándose
hasta convertirse en piedra de humo
por los siglos de los ojos?:

no había dejado de llover y la constelación
de gorriones
era un grito cubriéndonos o despoblándonos
las alturas
donde las piedras se esfumaban sin advertírselo
a nadie
en medio del asombro y la imprudencia
de los ahogados:

tal vez nunca debiéramos olvidar la incertidumbre
de los ojos
que en el firmamento se fueron borrando
como aquellos círculos
en bandadas de gorriones concéntricos:

multitud de árboles
que tal vez nunca debimos olvidar
entre aquellas bandadas borrándose
en las profundidades
donde sólo escucharemos el murmullo de los gorriones
enloquecidos.

ZOPILOTES EN LOS CIELOS DE MÉXICO

Y entonces, de acuerdo con nuestra memoria,
podíamos distinguir el vuelo de los cementerios
entre la zozobra o el griterío de otros árboles
que temblaban en la noche
como mamíferos de conducta imprevisible.

Montañas, nubes, nuevamente montañas, visión
    en las arenas
o las aguas filtrándose en sus arenas donde sólo Dios
    existe
como locura incendiada
y aquellos pájaros profundamente oscuros,
aquella calavera de todos
como agujero del cielo.

Caminábamos desde el fondo de una piedra
a otra piedra,
éramos el estupor y el peligro
de las piedras deslizándose en medio del sonido
o la agonía de los zopilotes:

su deseo, su pesadumbre
y su resurrección más allá de las hojas húmedas,
más allá de las fertilidades
—gritenme, piedras del campo, grítenme
    desde las aguas
o el viento de este bosque transformándose
en los nidos de los mitos.

EL MAR DE CADA DÍA

1

En el mes de febrero de cada año, el rito se reanuda: como sonámbulos nos acercamos al malecón de Acapulco para contemplar al *Royal Viking Sky* con su blancura indescriptible. No es el blanco de la nieve ni del humo cuando se incendian los eucaliptos, sino más bien un tono inefable y ofensivo: una blancura demasiado enfática, de primera comunión o agonía de un ángel. Sin embargo nadie sabe de dónde viene este barco al que admiramos como si se tratara de una virgen cuya identidad es fraudulenta.

Nuestra observación es hipnosis: llega la noche y la nave se enciende como en un acto de prestidigitación divina. Luces de color mango, aunque transparentes, a babor y estribor; luces cuya intermitencia se mantiene hasta la salida del sol entre los cerros y las nubes siempre rojizas. Hay un poco de brisa, el mar es viscoso como la piel de las ballenas que sólo aparecen en nuestra memoria y su viscosidad llega a convertirse en pensamiento abstracto: oscuro es el oleaje del cielo y lo observamos con cierta melancolía. De la popa desciende un sonido de trompetas y violines; hay fiesta pero no vemos a nadie. Se supone que hay fiesta porque la música se desliza como una víbora: olor a plátanos, piñas y papayas.

De pronto una sombra cae al mar. Alguien huye por estribor hasta alcanzar la proa donde una muchacha está sola. La muchacha tiene los labios partidos y es otra sombra: golpeteo de tacones, golpeteo de manos. Alguien corre y se ríe; grita y se arrodilla. Un poco más lejos, el océano tiembla como bandada de pájaros. Nosotros continuamos en la visión hipnótica y las luces se encienden y se apagan sin perder su equilibrio. El *Royal Viking Sky* empieza a moverse y es un anfibio que pertenece a la zoología imaginaria. Su blancura no es de este mundo, a pesar del ruido de las trompetas.

Música de las Antillas, casi no hay aire, las estrellas desaparecen. Es la luz viscosa del amanecer.

2

Despiertas a medianoche, sin abrir los ojos, y una voz repite "como el océano libidinoso, como el océano libidinoso". No entiendo nada, dices, aunque lo sospecho. Las claves del mar siguen ocultas. Nuevamente se mueven los árboles, la brisa desciende de los cocoteros, te vuelves a quedar dormido y la voz es la misma de siempre: "Si las olas reflexionaran, creerían que avanzan, que tienen un objetivo, que progresan, que trabajan para el bien del Mar, y llegarían a elaborar una filosofía tan necia como su obstinación."

Por fortuna, el mar es ciego: su lucidez no tiene que ver con la capacidad de visión. El océano es un animal racional cuya mayor virtud es la desconfianza de sí mismo; su espíritu es inagotable y su razón es desconcierto: la lógica marina no es más que el vaivén siempre inconcluso. Cada ola se desconoce en otra ola, aunque la fuerza que las aglutina sea indivisible. El mar tiende a la dispersión: una gota de espuma se estrella contra las rocas pero el ritmo se mantiene inalterable. La gota vuelve a su estado inicial y, después del estallido, es el corpúsculo de espuma que interminablemente va creando las olas.

"Sólo hay lascivia en la espuma del océano", repite la voz desde un ángulo invisible.

3

Devetachi, a 24 de agosto de 1916. Soy Giuseppe Ungaretti, tengo veintiocho años y escribo, de noche, este pequeño poema con el título de *Universo*:

Col mare
mi sono fatto
una bara
di freschezza

Ciudad de México, a 9 de abril de 1986. Un joven poeta que jamás ha leído a Ungaretti escribe, de noche, después de un viaje a Baja California:

Con el mar
me he construido
un ataúd
de frescura

Abril de 1986. Tengo noventa y ocho años en Devetachi o en el océano de Baja California, junto al lamento de las ballenas. Supongo que todavía soy Ungaretti aunque me olvido de mi nombre: no sé quién fui, no estoy, nadie me espera en el desierto donde el mar es una ficción. Quizá nací alguna vez en Alejandría de Egipto, aunque todo nacimiento es conjetura. Empieza a llover débilmente sobre el Pacífico: "Un ejercicio táctico de la naturaleza", pienso desde Devetachi. Ficticia lluvia de agosto de 1916. Entonces, algo triste, escribo:

Ya no brama más, no susurra el mar,
El mar.
Sin los sueños, campo descolorido es el mar,
El mar.
Da lástima también el mar,
El mar.
Nubes no reflejadas mueven el mar,
El mar.
A humos tristes cedió su lecho el mar,
El mar.
Ves, también ha muerto el mar,
El mar.

Solitario, no vengo de África ni de Italia. Nunca estuve en el Mediterráneo y Baja California es, como en el pasado, una disimulada ficción. ¿Qué estoy haciendo aquí, cada día más lejos? Extraño en todo lugar, pero sumergido en una extrañeza que también es ficción. Esta maravillosa luz me agobia. Mañana vuelvo. Una luz que desconcierta entre las nubes. Casi un pájaro.

4

Atravieso el acantilado y el sol es un dibujo abstracto. Aquí el océano Pacífico es violento, oscuro, muy ácido en las algas que contienen el yodo. Las gaviotas son carnívoras, para no decir nada de los pelícanos, esos fantasmas a medio camino entre el pájaro bobo y el buitre. Todo es aquí muy frío: el viento me desconoce y gira en círculos que de pronto se descomponen formando rectas o ángulos terribles. Agresión del viento a cada instante.

Posiblemente estoy en la costa del sur de Chile, allí donde la geografía es como el espinazo de una fiera estrellada. Fiordos, canales, moluscos que observan el mediodía con su ojo ciego. Pequeñas lenguas de barro entre algunos troncos que se levantan como caballos: su lomo es la corteza incendiada nadie sabe por quién. Aquí el humo no tiene limitaciones y de ceniza es el paisaje. Atravieso el acantilado sin darme cuenta. Asesino es el mar. Su rutina, más allá del frío, es opulencia o énfasis que atemoriza. En la distancia alguna roca en plena metamorfosis y cubierta de arrugas como la piel de un elefante: piel oscurecida pero con el brillo de la sal que no se esfuma. Piedras hostiles de caparazón lenta y palpitaciones envidiables: lo digo porque no se sienten y pareciera que están muertas en vida, como antes del nacimiento.

Invierno en el mar. Más bien otoño. Por encima vuela un cormorán de alas cenicientas y cuello muy largo: se parece a un avestruz marino, aunque tal vez exagero. Sin embargo, el ave no interrumpe su viaje y el cuello crece mientras vuela. El sol se hizo humo, la marejada se hizo humo y debo irme. Al otro lado me esperan mis amigos. Ayer cumplí treinta años y hubo mucho vino de Chillán, carne de cerdo y jaibas de un color impreciso, entre verdes y violetas, aun cuando la naturaleza me desmienta y otros digan que soy el último náufrago del surrealismo. Pero lo más probable es que la naturaleza permanezca muda, pues no puede controlarse a sí misma y, en sus dominios, toda invención cromática es posible.

Ya me voy. Mañana nos veremos. Hablo solo y mis piernas tiemblan. Al fondo hay una estrella como signo inconcluso, de acuerdo con la respiración del universo. Me gritan desde la orilla y el viento no se calma. ¿Bajo las aguas nadan los pulpos vegetales? Hay electricidad en el aire que respiramos. El oxígeno es cruel, después de todo: un exceso de oxígeno podría ser fatal. Respiro con algo de temor, muevo un pie, abro una mano y sigo respirando más allá de mi equilibrio: respirar es un rito inexplicable. Tal vez las jaibas no respiran y a ello se debe su color de ultratumba. Intruso es el polvo que se adhiere a mis párpados: polvo ácido como el espíritu de las algas, polvo convertido en llovizna. Algún día volveré, no me esperen, estas olas me reconocerán junto a la playa de arenas inmóviles.

5

De nuevo el mar entre desechos y una tortuga moribunda junto al pezglobo cubierto de agujas amarillas. Camino sobre las arenas de una playa tropical: no estamos en Cozumel, olor a ratas muertas, la gasolina de los automóviles se extiende sobre el asfalto, alguien estrella una cerveza contra el muro, se descompuso el aire acondicionado, ya vienen los zanates con su bullicio y hay olor a gasolina con cerveza que se desliza entre moscas, lentamente.

Un olor denso, húmedo, y nadie sabe de dónde viene ese ruido de agrias aguas, con paso de tortuga, sobre las viejas aguas. El pez erizo es venenoso durante los días de la reproducción; lo observamos bajo el océano y sus espinas son casi invisibles como las agujas del acupunturista. La boca es enorme. Parece una boca de varios pejesapos. Boca de ventosa, de puercoespín marino, de carpincho.

De pronto el pez erizo se hincha sin mesura y es un pezglobo fuera del mar, un conejo en agonía cuya piel es enjambre de púas transparentes. Su boca es toda la cabeza, como ha de haber sucedido al principio del mundo con las otras especies. La boca es el origen y en ella se oculta el cerebro con su capacidad de contemplación, reflexión o crimen. El pezglobo no es un animal descerebrado. Ahora nos observa desde la playa con su ojo muerto; junto a la tortuga moribunda, mueve su cola en un simulacro póstumo. Es el último testigo de nuestra crueldad y estupidez.

La especie humana, por falta de humor, está condenada a las guerras; el terrorismo no les permitirá vivir, no tienen remedio, lo destruyeron todo. Decir hombre es decir patología. Es preferible morirse de tortuga, de pez erizo, de océano que felizmente carece de inteligencia.

Me tapo los oídos, vuelvo al hotel y destapo otra cerveza.

EN ACOLMAN NO HAY NADIE

Abro la celda del monasterio y una voz
        tu voz
sale aullando desde el fondo del pozo
No hay nadie aquí en Acolman
el templo está vacío
los naranjos no se mueven
        ¿En qué tiempo estamos?
No existe el futuro aquí en Acolman
no vive un alma
no vive un triste cuerpo
y vacía
            desolada está tu voz que sube y sube
            no existe y sube
            es un suplicio
            es un sadismo
y el aullido pasa el límite
y el silencio es tenebroso

Cierro la puerta de la celda
trato de huir
grito
echo mi voz al fondo del pozo
No hay nadie aquí en Acolman
la sangre no corre
                        es el vacío

es un sadismo
es un suplicio

El cuerpo que se azota no es un cuerpo
¿Adónde vas?
Una voz que no existe baja al pozo
¿Quién anda por ahí?
No hay Acolman
no hay templo
no hay un pájaro que viene
a picotear las naranjas
que no existen
nadie vuela
no se oye un solo aullido
nadie pide socorro

No está la celda que yo abro
no vive nadie aquí
no está esa voz que sube y sube
ni el vacío que nos mira
con sus ojos de lechuza
El vacío no existe
pero mejor vámonos
vámonos ya de aquí
antes que le prendan fuego a la Cruz.

Otoño de 1971

COYOLXAUHQUI Y OTRAS SORPRESAS

1. El perro de siempre

Un famoso fotógrafo llamado Martín Brugnoli, recuerda que en las fotografías de su álbum familiar habrá siempre un perro, aunque su familia nunca fue aficionada a esos animales que sólo provocan urticaria, romadizo, jaqueca u otras reacciones alérgicas. Brugnoli descubrió que ellos pedían un perro prestado para los retratos familiares o posaban frente a una limousine que tampoco tenían.

Este fenómeno permite ver que todos los retratos se organizan alrededor de un perro prestado: ese cosmético social que organizará la imagen para que ella sea querida y respetada por los otros. Nadie conoce, hasta la fecha, cuál es el nombre o la raza del perro que agita su cola como si estuviera lejos de la fotografía que lo contiene. No podríamos negar que el perro está feliz, a pesar de su momentáneo aburrimiento. Su cola es un signo alegórico, un objeto dual, una representación cinética.

Diríase que la expresión fabricada, que organiza el retrato, defiende a nuestra familia de la vergüenza de instalarse frente al ojo público. El maquillaje disimula su rostro. Se puede decir, entonces, que todo retrato es un rostro oculto. Tal vez por eso se originó como un arte destinado a los muertos.

2. La luz de Taxco

La luz de Taxco es un peligro para la inteligencia que sólo descubre el poder de lo esencial. Estamos en presencia de una claridad cuya virtud es clausurarlo todo, desde el horizonte hasta las primeras líneas del espejismo o la parodia. No hay sombra y los objetos se hunden en esta falta de densidad, cuando sabemos que solamente lo sombrío puede constituir su memoria o el ritmo que les permita sobrevivir en el recuerdo. Todo ser busca la media luz y prefiere las tinieblas al tormento celestial: así los animales racionales e irracionales, así también las piedras o los árboles en cuya copa muere el sol y la luna se protege.

Caminamos por Taxco y la luz es el único obstáculo para poder acercarnos hasta descubrir la luz que se oculta y germina en el fondo de las aves o las flores. Poco a poco desaparezco en estos detalles que no alcanzo a distinguir; no hay matices y, sin sombra, soy quizá lo más lamentable: el olvido proyectado por la luz.

No sé quién fui, pero vamos a ciegas y podemos tocar el vacío cuyo destino no se descubrirá jamás.

3. Un poco de agua

Quisiera reír pero me duermo. Vivo con sueño, siempre. De pronto me despierto, alcanzo a sonreír pero me duermo. Algunos creen que mi sonrisa es un signo fetal. Intrauterino, duermo burlándome de mis sueños. Quisiera dormir, qué comezón, qué soledad, qué hambre, pero me olvido. Quisiera reír pero de pronto me despierto. No alcanzo a tener miedo. Sólo tengo sed: agua, no me olviden, un poco de agua.

Quisiera dormir pero me levanto, apago la luz, cierro la ventana, enciendo la luz y descubro que otras sombras se deslizan por la habitación y viven con sueño, siempre. No alcanzo a verlas pero ellas me reconocen y me despiertan, se burlan durmiéndome y de nuevo me despiertan.

Agua, no se olviden de mí, otro poco de agua.

4. El cuerpo de Coyolxauhqui

Y allí, a unos cuantos centímetros
por debajo de tales pasos, estaba tendida
en su sitio consagrado la diosa muerta,
la guerrera maltratada por el fuego,
la despeñada, inmóvil en la imposible
danza siniestra de su cuerpo violado
por la destrucción, espejo y custodia
de los restos últimos de la divina perfección
que le dio eternidad y muerte.

Rubén Bonifaz Nuño

Como si fuese un hurón o una corneja, esta mañana pude arrastrarme y luego me sumergí en el cuerpo de Coyolxauhqui. Ahora puedo decir que su ombligo está vacío, pero la calavera ocupa el lugar que alguna vez estuvo destinado a su clítoris. Probablemente ella no tuvo más orgasmo que el de su decapitación en el cerro de Coatepec; sus tobillos casi no existen, sus piernas se confunden, sus brazos han sido dislocados por la furia fratricida de Huitzilopochtli, y hay una mano que perdió sus uñas. La diosa lleva cascabeles en sus mejillas y su nariz cuelga de una nariguera que me obliga a reflexionar sobre su sentido del humor. El desmembramiento está en rotación perpetua y México se reconoce en ese círculo: cada miembro gira y a mayor velocidad acaba por confundirse o convertirse en su contrario. Las piernas son labios que son brazos que son ojos, y nadie podría interrumpir esta metamorfosis. La hija de Coatlicue se divide, tal vez se multiplica y nos señala el camino que conduce a la estética del fragmento: ella es nuestro voyeur.

Collage de sí misma, Coyolxauhqui hace de toda fuga una fuerza centrípeta; puedo decir que su poder reside en esa traslación rotatoria que es apenas perceptible. Diosa inmóvil y trashumante, esfera con su sombra siempre oculta.

Ahora me río de los mechones que cubren tus orejas, como de tus sandalias o de aquel cráneo de mono que jamás termino por descubrir; aquí todo es un enjambre y el vacío está ocupado por el ritmo de las serpientes de ombligo dual y cabeza múltiple. Poco a poco pierdo el juicio y llego a tocar las volutas que son el escudo bajo el que se protegen tus pezones: cimborrios, dedales, nísperos, úvulas, aromas de cinamomo, de cupulíferas, y locura cupulina.

Nunca vi senos tan profundos, nunca vimos tal escorzo: cascabeles sobre esta bóveda que acaba por hundirse en su propio espacio.

Entonces llega la noche y antes de abandonar el Templo Mayor descubro que el origen se oculta más allá del fin: Coyolxauhqui se ríe y muerde su lengua de un modo lascivo, cómico, audaz, agonizante, cruel.

5. La cadena

¿Qué se puede hacer cuando uno estornuda en cadena, más de siete veces, y descubre que tiene alergia de sí mismo? El sujeto de estas reflexiones cree dominarlo todo, y ni siquiera conoce el ritmo de su propia histamina; tampoco sabe si el origen de su perplejidad se encuentra en los pelos del perro, en el vaivén de su cola, o en las glándulas sudoríparas del gato cuyo lomo se estremece como una lombriz.

El sujeto al fin no sabe nada; como dirían los antiguos, nada de nada: nunca sabrá si echarle la culpa al gato, al perro, o a las pelusas de la alfombra donde a veces trata de dormir inútilmente. Uno tampoco está capacitado para saber si todo empezó bajo los árboles y en los días de la polinización.

El asunto es más complejo, sin duda, y el sujeto del texto, como si hubiese perdido la cabeza, consume antihistamínicos a cada instante y se deja llevar por la cadena de estornudos. ¿Hay otra alternativa? Uno acaba muriéndose y nadie sabe si la resurrección, entre un estornudo y otro, será todavía posible.

6. Un pájaro en la cabeza del bisonte

Comienzo a envejecer. De un modo petulante, se diría: "Por segunda vez vuelvo al origen." Desde este ángulo del zoológico diviso al bisonte y descubro que no está desnudo; ningún animal podría soportar la desnudez. Todo en ellos es ridículo y agradable.

Ahora veo cómo un pájaro se ha detenido sobre la cabeza del bisonte. No vuela una mosca y aunque estoy pensando lo contrario, afirmo que esta composición es esperpéntica. Hipnótico, el bisonte no se mueve y su edad es, por ello, indescifrable. De tan viejo, es casi un animal joven. Como yo, como el pájaro, como estas moscas que vuelan y se acoplan, desnudas, sobre mi cabeza.

7. De nuevo la vejez

Ciertamente, la vejez es el hecho más inesperado de todos los que le ocurren al hombre. Se trata de un fenómeno inaudible, aunque el primero en registrarlo es el oído que acaba perdiendo sus facultades perceptivas.

Uno se vuelve viejo, paso a paso, y lo imperceptible está constituido por el universo de cada célula. Pudiera decirse que empieza a fallar la memoria de la célula y el organismo se desarticula químicamente. Lo mismo le sucede al instinto: se pulveriza el sistema eléctrico que lo constituye y la energía se desconoce a sí misma.

Esta mano, por ejemplo, escribe lo que ya no recuerda, y la otra no sabe lo que está sucediendo. Sin embargo, la situación se desarrolla de una manera armoniosa y la vejez nos alcanza cuando la habíamos olvidado.

MAR ADENTRO

1

A modo de mar:
                    verde
invierno, verdes manzanas, verde pez.

A modo inmóvil de mar
(una inmovilidad que siempre es pasajera):
bugambilias verdes, amapolas verdes,
                                        verde
el pensamiento
que sólo a veces nos alumbra.

2

Más allá del sótano hay una puerta muy antigua
que de pronto es verde:
                        allí habita el pez ciego
                        en la espiral
                        de su ceguera
y no puede, nunca
podrá derrumbarla.

3

Dicen que en el fondo del mar se oculta
el árbol más antiguo,
                                        verde todavía:
algunos lo vieron alejarse de sí mismo
como si fuera un elefante que busca un lugar solitario
para dormir en silencio.

MEDIODÍA EN PALENQUE

Roja será la vida después de la muerte:
azul será el asombro
del rojo,
                    la lluvia
después de la muerte.

Más allá del sol
será el amarillo después, negro
será el amarillo después
de la ondulación de la lluvia
                                        en la muerte.

Y tú vendrás con júbilo, efímera
y dispuesta a parirme de nuevo
                                        después
de la muerte.

LA TORTUGA

Deslizamiento
y esplendor de la tortuga
en el abismo de Chankanaab:
laguna que es origen
de toda resurrección.

Nadie preguntará por nosotros
y sin embargo somos los que aún resucitan
en el espíritu de la tortuga
cuya mirada es un árbol cubriéndose de hojas
en el cielo de Chankanaab.

Antes y después de todo, la tortuga es origen:
hacia ella vamos sin ocultar nuestro asombro.

¿Isla de Cozumel, verano de 1984?

MONO Y RELÁMPAGO

Verde es el relámpago, tan verde
como la lenta mordedura de la piedra.

Verde locura de mono
en la mordedura de esta piedra
obsesiva y solitaria.

Ella es la memoria del mono,
pero el mono es incapaz de recordarla.

Ella es la energía del relámpago
y no hay locura en todo el firmamento
que tenga la intensidad de su locura.

Verde es el mono en el aire, tan verde
como el relámpago en la piedra.

Chiapas, verano de 1980

UNA FLOR EN LA VENTANA

Ha nacido una flor en la ventana.
Es una víbora roja: —¿Un viborezno?
Su cuello es interminable
y tiene la gracia de un caballo
que galopa sobre las víboras.

Hay álamos rojos en el cuello
de esta flor con sus estambres ocultos.
Álamos como caballos que nadie ha visto
y el rumor de un galope en la ventana.

No hay sombra que pueda destruirla
y el cáliz es la resurrección de esta ventana
por donde observo los movimientos
de la víbora con su gracia indescriptible.

Ha nacido una nueva flor en la ventana.
Sin duda es un viborezno: —¿La sombra
de otra víbora?
Su cuello no tiene límites
y exhibe la gracia de una víbora
que aún galopa sobre las flores.

EL LUGAR DE LOS MUERTOS

1. El Árbol Nodriza

Mamaré eternamente, como en Chihihuacuauhco,
del Árbol de las Leches y las Fiebres:
morderemos los pezones del Árbol Nodriza
después de reírnos como locos
y descubrir algo de luz en el momento
de nuestra mayor excitación.

Gozan y sufren las leches en su Árbol
lleno de mamas y de miedo:
frecuentemente abrimos los labios
y nuestra boca es la memoria de un pezón herido
por aquellos locos que abandonaron su cuna
y muerden a todos los que suben o se bajan del Árbol.

2. Algunos años en Mictlan

Como androide que soy, pertenezco al inframundo: mi diseñador genético es Mictlantecuhtli y sobrevivo, sobrevolando como un murciélago, entre la humedad, el fuego y las nubes de Mictlan. A juicio de fray Bernardino de Sahagún, estamos en un lugar obscurísimo que no tiene luz, ni ventanas, ni habéis más de volver ni salir de allí.

Un poco más abajo se encuentran los perros de cola roja, las lagartijas demasiado verdes, las piedras y los cuchillos de obsidiana. Allí se devora el corazón de los vivos, allí aparecen y desaparecen los corazones, y aquellos que tuvieron la suerte de morir sólo se ríen o sonríen, y a veces hasta se burlan de nosotros con un amor envidiable.

Así pude comer y dormir durante algunos años en Mictlan, hasta que una mañana fui llevado a la pirámide de Mictlantecuhtli, quien extendió sus garras, desenvainó su larga lengua y me dijo con una sonrisa de animal nocturno:

—Vete de aquí, no quiero verte con esos ojos de murciélago, vete a Tlalocan, tú no eres digno de vivir entre nosotros. Además, tu figura tiene la forma de un globo perverso, como si recién te hubieras ahogado más allá de la niebla. Y por si fuese poco, todavía te cuelgan esas orejas de calavera sarnosa, hidrópica, leprosa. Por eso vete ahora mismo, abandona Mictlan y desaparece de mi vista para siempre.

3. El llanto en la noche

Esta cabeza tiene dos años de vida
y está completamente despellejada:

es la cabeza de alguien que pudo ser un niño
y pertenece a Mictlancíhuatl, la consorte
del despiadado Mictlantecuhtli:

por las noches esta cabeza llora
y está completamente desorbitada:

no tiene ojos, no tiene boca
y de lo que pudo ser su lengua

se desprende un soplo, un vacío
con ondulación propia:

carnes que van y nunca regresan,
despellejados que al fin se multiplican.

En su libro Muerte a filo de obsidiana *(Secretaría de Educación Pública, Lecturas Mexicanas, México, 1986), el arqueólogo Eduardo Matos Moctezuma dice textualmente: "Al Mictlan o noveno 'infierno' se le describe como un lugar 'muy ancho'; lugar 'oscurísimo que no tiene luz, ni ventanas'. También se le conoce bajo el nombre de Tocenchan y Tocenpapolihuiyan, que significa 'nuestra casa común o nuestra casa común de perderse'; el término Ximoayan 'donde están los despojados, los descarnados'; Atlecalocan 'sin salida a la calle'; Huilohuayan 'donde todos van'; Quenamican 'donde están los así llamados', etcétera. Es necesario aclarar que aparentemente no se trata de un lugar de sufrimientos como el infierno cristiano, sino del sitio donde se encuentran depositados los huesos y los restos de las personas muertas."*

LA ISLA DE LOS MONOS

Roja es la nariz que cuelga de los monos
en la laguna de Catemaco:
pequeña isla llena de árboles, con el movimiento
de un chimpancé que vuela perseguido por otro.
Por aquí dicen que soy el Sumo Sacerdote
y debo embarazar a todas las hembras
hasta que la nueva luna empiece su ciclo
    sobre el agua.

Gran Chimpancé o Sumo Sacerdote entre las nubes:
no hay diferencia, las hembras se confunden
y el extranjero es ceniza o sombra del sacrificio
en la fiesta del Dios de los Monos
que a cada instante vuela
como si fuese un enano perseguido por otro.

Lento es el atardecer entre los pájaros o las plantas
    acuáticas
y esta laguna tiene el color de las pasajeras flores
    que no cambian.
De pronto vendrá la lluvia y las monas, embarazadas,
se burlarán de estos ojos que me pertenecen
desde que soy el Sumo Sacerdote
inaugurando el nuevo ciclo sobre el agua.

DE LA ERA GLACIAL

De la Era Glacial hemos venido.
Allí nací entre los años 60 000 y 10 000 antes
de Jesucristo.
De la Era Glacial hemos despertado hace algunos
minutos
y alguien me esculpió, negro punto en la frente,
flecha de luz
y los brazos abiertos en las ondulaciones
de la roca viva.

Somos entonces la hendidura que recién despierta
de un sueño diseminado entre los 60 000 y 10 000
años antes
de la entrada de Jesucristo en la época
que fue anunciada por las nubes del Antiguo
Testamento,
cuando ni siquiera James Ensor lo imaginó entrando
en Bruselas.

De la Era tal vez más parturienta hemos venido,
cavernícolas, ovoides, antropófagos,
con el pavor de los dioses más antiguos en el paisaje
umbilical,
allí donde aparecen las primeras equivocaciones
y aunque la exactitud de la anatomía nos desmienta
fácilmente.

Somos entonces la hendidura de un sueño
entre los años 60 000 y 10 000 antes de la expansión
de la imagen
del que vino a diluirse, ojo de gas en la frente,
y sólo así pudo aparecer y desaparecer
en medio de las piedras
que nunca lo olvidarán con su cara de nube
que habla, sin quedarse inmóvil,
con los brazos no siempre abiertos, introvertido
y pacífico,
violento a veces, imperturbable, más bien víctima
de la trinidad
que lo habrá de consumir como al fuego su propia luz,
imprevisible pastor de ovejas.

ÉCHAME A MÍ LA CULPA

Échame al fin los toros
y el vaivén de las vacas con su dolor reflejo,
échame a mí la culpa de todo escándalo:

de rumiante voy con esta pesadumbre, de mamífero
lleno de mundo en medio de las hogueras
donde arderíamos al ritmo de las ondulaciones:

échame la tristeza de los toros
con sus vacas temblando en el dolor de parto,
échame las ondulaciones que nadie ha descubierto:

hemos llegado a viejos, torpemente, sin remilgos
bajo estas nubes donde las vacas lloran
con su dolor reflejo:

vamos llegando a viejos, todo es oscuro
y sólo hay un poco de luz por debajo de las vacas
ensimismadas en su dolor reflejo:

échame al fin las vacas
con esa pesadumbre de mamíferos
que sólo podrían rumiar en el escándalo:

cólera de los huérfanos, lamentación de los toros
más allá de las hogueras donde arderíamos
por encima o por debajo de las ondulaciones:

torpeza de los desmembrados llegando a viejos
en medio del gemido de las vacas
y sus toros donde arderíamos al fin sin pesadumbre:

vuelve a salir el sol entre las piedras
y de rumiantes vamos con este dolor de parto
en las hogueras llenas de mundo:

por esta vez échame al fin los toros
y las onduladísimas vacas con su dolor reflejo,
échame a mí la culpa de tanto escándalo.

Octubre, 7, de 1977,
con algo de sol
y bramidos al fondo,
no muy lejos
de las tórtolas

NOSTALGIA DE LA COLA

Perdimos la cola, no tengo cola, soy esta ruina:
sin rabo y fuera del tiempo, somos
el cartílago más débil
de la cadena evolutiva, el soplo
de la columna vertebral, el olvidado cóccix
que sólo a veces se articula con el sacro
aunque tal vez debió permanecer oculto para siempre
en las ondulaciones del oído
y más allá del martillo, el estribo y el yunque.

¿Cómo negar que tengo nostalgia de la cola?
Cuando éramos coludos, teníamos el universo
    por delante
y nadie se atrevió a disputarnos el poder
o la gloria de hundirnos
el rabo en la nariz, si lo quisiéramos.

Pero hoy no somos casi nada
y la nada se articula con el soplo del cartílago
donde comienza nuestra burla, este desliz
más allá del esqueleto
que habrá de constituirse en la mayor diversión
cuando empiece el espectáculo.

MEMORIAS DEL ELEFANTE

De pronto levantaron el vuelo los elefantes
y descubrimos que se trataba de nubes con plumas
entre las hojas de bosques incendiados:

cada elefante era una flor acuática en el espacio
donde las estrellas podían aproximarse
    a la resurrección
de los mamíferos que nos incendiábamos
    como trapecistas:

la blancura elefantina fue un desafío para todos
y alcanzamos a ver el deslumbramiento
    de tantas nubes
en medio del aullido de las plumas incendiadas:

sin duda éramos los hijos del trapecio
donde el espíritu podía aproximarse a la resurrección
de las trompas incendiadas en cada elefante:

recordemos que hubo movimientos prensiles,
    piel rugosa
y colmillos a través de los cuales era posible
descubrir la plenitud del vacío en los hoyos del cielo:

cumbres de la Sierra Leona en el gemido
    de los elefantes
enterrados en los desfiladeros del espacio
donde lo gemebundo es el idioma de todos:

una vez más recordemos que el aullido de las nubes
era mucho más que un desafío para todos
en medio del deslumbramiento de los resucitados:

no olvidemos el rumor elefantiásico en las cumbres
de la Sierra Leona con sus noches como elefantes
que hubieran perdido la memoria
    en su aventura espacial:

de repente levantamos el vuelo entre los árboles
y descubrimos que se trataba de elefantes con plumas
en el más allá de los cielos incendiados:

cada elefante era una multitud de signos en rotación
entre las estrellas que temblaban en sentido contrario
al movimiento de las cumbres enloqueciéndonos
    a todos:

bienvenidos sean los elefantes
que hicieron de sus trompas un espectáculo invisible
con huracanes y temblores más allá de las nubes:

bienvenidos los malditos colmillos en sus vuelos
convirtiéndose en los abismos del espacio
donde sólo se estremecen las estrellas con sus plumas:

el temor elefantino fue un desafío para todos
y recordemos que sólo hubo movimientos prensiles,
    piel rugosa
más allá de las tumbas que volaban por el cosmos:

cada trompa escondía la memoria de los elefantes
cuyos ojos cambiaban de lugar entre gemidos
más acá de los espacios que iban mordiéndose
    en sus tumbas:

volados fueron los más profundos entre las nubes
cuya virtud consistía en deslumbrar lo imposible
más allá del lamento de las cumbres incendiadas:

misericordia para los viejos elefantes
que aprendieron a volar por las profundidades
    del océano
en los días del espíritu incendiándose entre las nubes:

de pronto éramos los hijos de las estrellas incendiadas
y corríamos hacia las playas del sur con el pavor
    de las plumas
donde cada elefante no era más que un soplo
    en medio del agua:

cumbres de la locura en el incendio de la Sierra Leona
con el delirio de los elefantes volándose
    todo el espectáculo
hasta la medianoche en que los bosques se satanizan:

resplandor satánico más allá de los cementerios
como múltiples signos en rotación entre las estrellas
donde lo gemebundo es al fin el lenguaje
    de los inútiles:

cumbres de lo arcangélico más allá de las estrellas
donde el aullido de los mamíferos entre las aguas
    del cielo
se volvería un desafío para todos
    junto a la medianoche:

de improviso dijeron bienvenidos los temerosos
y cada elefante se introdujo en los vuelos
de las flores acuáticas que se aproximaban
    a la resurrección:

así fue el horizonte con sus trompas incendiadas
y ninguno de nosotros se atrevió a confesar
    su paquidermia
en medio de los huracanados que lo rodeaban todo:

rugosidades bajo las hojas de bosques imponentes
hasta que los colmillos desaparezcan
    en medio de las nubes
y los elefantes puedan resucitar
    en el más allá de la memoria.

¿Algún mediodía
de agosto de 1977,
con truenos y relámpagos?

UNA HISTORIA JUNTO A LA MONTAÑA
(Leyendo a M.S.A.)

El hombre, desde Veracruz, descubre la montaña
y en sus ojos podemos ver la tristeza de un cocodrilo
que se arrepiente de su voluptuosidad,
como hubiera dicho Neruda en otro tiempo.

De pronto la montaña coronada de nubes
se deja observar por el hombre desde el océano
y una mujer desnuda quisiera escapar entre las nubes
como tórtola en cuyos ojos podríamos ver la tristeza
de un cocodrilo que ya no puede arrepentirse.

Ahora llueve sobre el golfo de México,
la montaña se aleja un poco más,
se envuelve un poco más en su manto:
de improviso la mujer está de rodillas junto al hombre
y en sus ojos alcanzamos a ver la voluptuosidad
del cocodrilo acostumbrado al deslizamiento
    de las nubes.

Entonces el hombre saca un cuchillo de sus ropas
y neuróticamente apuñala el aire alrededor
    de la mujer
que seguirá temblando como un muñeco destetado.
La montaña, lejos de Veracruz,
se dirige al hombre con voz de trueno,

y el hombre inclina la cabeza en señal
de mansedumbre.

De pronto hay una explosión en el espacio,
la montaña extiende un brazo de fuego y azufre
que aniquila a la mujer en cuerpo y alma:
el hombre lanza un grito
y no sabe cómo arrepentirse de su voluptuosidad,
como hubiéramos dicho en otro tiempo.

Ahora el hombre se estrella contra la montaña
desde el golfo de México
donde el paisaje ha sido coronado de nubes.

Vuelve a oírse otra explosión en el espacio
y la montaña, luego de alejarse un poco más,
se traga al hombre de una sola mordida.

MATUSALÉN DESDE EL FONDO

—Vivirás novecientos sesenta y nueve años
y ninguno de los resucitados ha de sufrir
    en tu nombre
—me venía gritando Matusalén desde las nubes
con sus ovejas desguarnecidas,
allí donde los pájaros huyen de la codicia
    de los zorros
y tiembla el relámpago sobre las praderas—:
vivirás hasta que aparezca el gusano
en la piel de los elegidos.

Por ahora todo está en calma:
los zorros observando la inquietud de los pájaros,
cada oveja escondida en su oveja
y el ojo de Matusalén hiriéndonos la frente
desde el límite de las nubes.

—Viviremos más de novecientos sesenta y nueve años
y los resucitados serán mi Dios que pide clemencia
bajo el vuelo de los pájaros.
—Así me hablaba Matusalén desde el fondo
    de las rocas
y enmascarado se nos venía encima
como aquellos zorros donde el gemido es lo único
    posible—.

Viviremos hasta la codicia en la piel del gusano
cuyos elegidos no sabrían dónde se ocultan las ovejas
que siempre tiemblan como el relámpago.

Por ahora no hay lluvias y se nos viene la noche.

Agosto de 1977

AGUA DE CURIMÓN*

1. El damasco

Al fin se fueron.
La casa ha quedado sola.
Detrás está el patio de piedras desiguales,
aquel lugar de tierra gris
que se perdía más allá de la tuna naciente.

—Jamás florecerá el damasco
—había dicho mientras miraba el polvo.

Entre el cielo y los almendros,
la neblina daba la impresión
de que el día de ayer
aún estaba sobre las botellas vacías.

2. Las uvas verdes

—De noche miro
                                        las uvas verdes: aire de agua
y tierra de hojas delgadas, hojas de agua.
Flores escurridizas, yo miro flores de agua.
Y sorpresivos centros de hierbas dulces,
hierbas de agua.
Y provincias primitivas, y familias, y alamedas,
y haciendas de agua:

* Curimón: pueblo de la provincia de Aconcagua, región central de Chile.

aguas finas, uvas
verdes, almas de agua.

3. Las amapolas

Existe una bandada
de pájaros intermitentes, esta tarde.

De ahí se desprende la inquietud
del aire que tiembla como un cordero entre lobos.

Recién la vi, con dificultad, y apenas
pude distinguirla del sol
y de ciertas amapolas que todavía recuerdo.

Seguramente ha sido el viento
quien la cubrió en la noche
con una sombra roja.

Por eso la vi, difícilmente, y extraña.

4. La puerta

Había que llevar el agua
más allá de las piedras.

Una puerta blanca
pudo abrirse.

Quería hundir una rosa líquida
bajo la tierra.

Establecer algo
que tuviera la permanencia
de la humedad en los rincones.

5. La sombra

Algunas uvas impiden el paso de la mañana
a través del comedor:
—La ventana no es más que una sombra fija.

A veces cruzábamos la vieja puerta
después del mediodía:
esta ventana
no es más que una sombra
con algo de luz que se desliza.

6. La sandía

Sentada bajo los nogales,
la abuela ve pasar
el tiempo.

De sus pies nació el camino
que termina en los pies
de una puerta larga.

Nadie olvida que la puerta
había sido levantada
para ocultar la extensión del trigo:

—Aquel potrero abandonado
y ese silencio que ocupa el lugar del hombre.

Ella estuvo aquí.

De pronto me di vuelta
y el niño que una vez me vendió una sandía,
me mira como se queda el aire
cuando viene la lluvia.

7. Gorriones

El viento se había detenido
con la intensidad de un pájaro sobre la madreselva.

—Tengo miedo.

El viento se esconde en el interior
de las enredaderas.

Tuvo miedo, cerca del mes frío:
a veces golpeó la bugambilia con la escoba.

Cuando esto sucede, huyen gorriones
muy oscuros y ruidosos.

Gorriones tímidos, como ella.

8. El regreso

—Es extraño que él no me haya visto.
Ahora vuelvo como el polvo
a la espiral del agua:
                                        en mí se produce algo
que tiene su fin en la soledad.

No quise regresar a tiempo:
al otro lado del trigo
descubrí que sólo estaba destinada al polvo
cuya soledad no reconoce un límite.

Tampoco el regreso podía librarme
de la inmovilidad del tiempo.

El camino se quedaría donde ahora estaba.

9. La abuela

Es el tiempo
en que los pájaros regresan,
desconfiados.

Cuando las manzanas se pudren,
a pesar de que el sol todavía está oculto.

Cuando es muy difícil
pronosticar hacia dónde
llevará sus aguas el río más nuevo.

Es el tiempo
en que la abuela
va al pueblo a comprar una silla
de paja más fresca.

10. Tiuques

Antes
fue una destrucción líquida.
El cable se disuelve en tiuques, ahora.

Esto sucede cuando la carreta
avanza por el camino:
sucede como antes,
cuando se produce ruido.

11. Destrucciones

Es el invierno el que ha venido.

Son meses en que se utiliza la leña
cortada mucho antes

de haber plantado el nogal
en el centro del patio.

Desde esta noche, la presencia
de las ventanas cerradas.

Siempre ha existido la costumbre
de recibir al que no viene.

Y aunque la lluvia no es absolutamente nueva,
el agua sólo es conocida
por el deslizamiento de algún río.

—Es verdad que sólo vi destrucciones de agua
sobre la piedra oscura.

12. El abuelo afila su navaja

Junto al esplendor del durazno en primavera,
el abuelo afila su navaja, se arrodilla,
extiende los brazos y empieza a cantar
el Salmo del Fin del Mundo.

—No llores, abuelito —dice Hortensia, la nieta
más joven—.
El caballo sufre si te ve de rodillas
y se pone a llorar,
caballo abuelo.

—No sufro, hija, te digo que no sufro.
¿No ves que estoy cantando?

Verano de 1962

VISIÓN SOBRE LAS AGUAS

Ayer hemos visto a más de cien mujeres desnudas
y a más de cien hombres desnudos
en la desembocadura del río,
viendo cómo cruzaba en una especie de canoa
sobre las aguas oscuras, cerca del fin del mundo,
la vela encendida de la muerte.

De pronto empezó a llover con una persistencia
casi religiosa
y nadie sabe en qué momento aparecieron de la nada
más de cien caballos blancos junto a la desembocadura
del río cuya vela encendida conduce al otro mundo.

LA BURLA

Vino el pájaro
y devoró al gusano,
aunque el gusano
alcanzó a burlarse del pájaro
con una sutileza que todavía nos conmueve.

Luego vino el hombre
y devoró al pájaro,
aunque el pájaro
alcanzó a burlarse del hombre
con una sutileza que todavía nos conmueve.

Luego vino el gusano
y devoró al hombre,
pero el hombre
no pudo burlarse del gusano
y fue enterrado en el fondo del abismo

por su absoluta falta de humor.

A Blanca Varela
en un acto de justicia

LA TRANSFIGURACIÓN DE LOS CABALLOS

Al amanecer veo cuatro grupos de caballos
que galopan desde las cuatro esquinas del mundo.

Sobre el centro de la tierra estamos esperándolos.

Al anochecer vimos cuatro grupos de abuelos
que galopaban desde las cuatro esquinas del mundo.

Sobre el centro de la tierra estamos esperándolos.

Al amanecer vimos cómo los caballos
se transfiguraban en nuestros abuelos.

Sobre el centro de la tierra estamos esperándolos.

Al anochecer veo que nuestros abuelos cantan
como si fueran los abuelos de todo el mundo.

Sobre el centro de la tierra soy el último caballo

que sonríe sin atreverse a decir una palabra,
mientras seguimos esperándolos.

NUEVAMENTE LAS VISIONES

A Ramón Xirau, por obra y gracia

1. La palabra

La casa, como el relámpago,
está en su casa, está en el espíritu
de su casa,
y este relámpago
es cosa viva, palabra de Dios.

La familia, como el espíritu, está en su casa,
está en el fondo de su casa,
y este relámpago
es cosa bella y precisa, palabra de Dios.

El Cordero, como la luz,
está en su luz, está en el aire
de su luz, oblicuo se aparece en la tibieza
de su luz,
y este relámpago
es el Cordero que ilumina
desde el fondo, palabra de Dios.

2. El asombro

Todo es cántico
en la luz del mediodía:

mariposas que zumban como abejorros,
abejorros que tiemblan como mariposas,
orugas reflexivas como puercoespines que se miran
hacia adentro,
gusanos tendenciosos que aparecen, desaparecen,
aparecen
y nos miran hacia adentro con su luz
que es de otro mundo,
libélulas cuya virtud es la transfiguración
en medio del aire,
colibríes que han descubierto la felicidad
en la primavera,
pájaros carpinteros alimentándose, árbol adentro,
en la carne de Dios, de picotazo en picardía,
con suavidad y elegancia,
espíritus del buen humor, de picardía en picotazo,
criaturas ingrávidas y sutiles.

Al fondo respiraba el mar, siempre el mar
del mediodía:
olas que zumban como los abejorros,
abejorros que aún tiemblan como las olas.
Hay un limonero en el fondo, es hijo del mar,
se ilumina el espacio
y todo, como por arte de gracia, es belleza inagotable.

De improviso vuela el espíritu de un rayo láser
y todo es milagro
en la luz que jubilosamente nos asombra,
todo es comunión cuando una mariposa
es perseguida por otra, con amor y travesura,
de vuelo en vuelo.

3. El Cordero

Serpiente de Dios que limpias los pecados del mundo,
nunca nos abandones y, cuando sea posible,
ten piedad de nosotros.

Cordero de Dios que limpias no solamente los pecados
del mundo,
ten piedad de nosotros y, si es posible,
nunca nos abandones.

Unicornio de Dios que limpias los pecados
del mundo,
ten piedad o búrlate de nosotros cuando quieras,
pero nunca nos abandones en este Valle de Lágrimas

donde hemos venido a llorar lo menos posible
junto a los inocentes cuya alegría es contagiosa.

LA VERDAD

Tal vez la verdad es un error
sin el cual no podríamos vivir.

Tal vez el error es absoluto, viene de muy lejos,
y sin su poder no podríamos vivir.

—Acaso el error es la falta de misericordia
en aquella Nube que viene de muy lejos
y no quiere saber de nosotros
—sonríe Jesucristo desde una caverna
ubicada en el Antiguo Testamento.

LAS TRANSFIGURACIONES

Cantad a Yahvé, sollozaban los ecuménicos:
cantad al enfermo de timpanismo.
Cantadle por sus ondulaciones, sus yeguas
y el cielo con sus caballos
como en los días en que se agitaban los árboles.

Yahvé abuelo, nieto de sí mismo,
enfermo de sí en el júbilo de los otros:
Yahvé ocultista, ocularista, diseñador de ojos
ensimismados en el artificio de expurgarse
como en los días en que comenzaban
    las transfiguraciones.

A sacrificarse bajo estas nubes, sonreían
    los ecuménicos:
a limpiar las heridas del enfermo de timpanitis,
a cantarle a Yahvé por sus desequilibrios
junto a la pezuña de sus caballerías
ensimismadas en la habilidad de custodiarse
    a sí mismas.

Cantad al hijo del último desorden,
cantad al enfermo en la ternura de los otros.
Ególatra ocultista, ocularista, diseñador de ojos
ensimismados en el desconcierto
de Yahvé por encima y por debajo de sí mismo.

A levantarse como en las transfiguraciones,
a borrar los zumbidos del esfumado,
a disminuir el abultamiento donde la egolatría
es comedia, chifladura del Cauteloso
por encima y por debajo de sí mismo.

Lenguas en el rostro del enfermo,
lenguas golpeadas con un macillo de corcho,
lenguas del hijo con sus yeguas, sus caballos
como en las noches en que se agitan
los árboles en llamas.

Que tiemblen los atabales, que los tamboriles
se confundan cantándole a Yahvé bajo estas nubes
donde algún día sonreirán los hijos de los ecuménicos
limpiando las heridas del enfermo
en el instante de las transfiguraciones.

Cantad al Ingenioso, temblaban los ecuménicos:
cantad al Ególatra en el dolor de los otros,
cantad al diseñador de ojos por sus ondulaciones,
cantadle por sus desequilibrios
de nieto escondido en el desconcierto de su demencia.

Caballerías persiguiéndose, perturbaciones
en las pezuñas ensimismadas
del hijo de Yahvé desfigurándose a sí mismo
después de palpar las heridas del enfermo
    de timpanitis
con esas lenguas que sangraban por encima
    y por debajo.

Primavera de 1977

MONÓLOGO DEL MUERTO

Durante la mitad de mi vida estuve ciego:
sólo trabajé para los hombres,
pero ellos estaban más ciegos que nadie.

Creo que nunca más hablaré con los hombres:
nuestros pecados no tienen remedio.

Aún estoy muerto, aunque la muerte no es fea:
más bien es azul como el vientre de vuestras madres
cuyo dolor es alegría, felicidad del ciego.

Creo que nunca más hablaré con los hombres.
¿Qué haré si Jesucristo viene a visitarme
a imagen y semejanza de los hombres?

Por ahora estoy confuso, un poco triste,
y acabo de hacer un voto de silencio.

AQUELLA NIEVE

Hemos visto a Jesucristo comiéndose la nieve
    del mundo.
Lo vimos muy cerca de Antofagasta,
allí donde cualquier nevazón es asunto de brujería,
y aquella nieve estaba cubierta con su propia sangre:

las hormigas cubiertas de nieve ocupaban el lugar
    de nuestra sangre.

Descubrimos a Jesucristo en el momento
de comerse las hormigas cubiertas de nieve

y por el cielo vuela un pelícano hasta perderse
    más allá de las nubes
que pastaban en el aire de Antofagasta
    desde los tiempos antiguos.

NOS HUNDIREMOS EN EL AGUA CON UNA VELA ENCENDIDA

No olvidemos que la niebla caía sobre el mundo.
El último vestigio de los dioses en la niebla.

Madre que nos consuelas
con el vientre lleno de pájaros.

Nos hundiremos en el agua con una vela encendida.

¿Una gota más una gota no es más que una gota?

Encenderme casi póstumo, algún día, recordando
la casa paterna que respira como una sábana
sobre aquellos ríos que vuelan por el firmamento.

Acaso me volví loco
porque toda mi vida estuve pensando siempre
    en lo mismo.
Me volveré loco de repente, una vez más,
con una veladora que debiéramos llevar encendida
sobre el agua y entre las desviaciones de la niebla.

Creo que mataré a mi familia para salvarla
    de la muerte.
Los mataré con un poco de agua, con luz

que no se enciende ni se apaga
como lluvia en el espíritu.

Y al fin extenderemos la sábana en medio de tanta luz,
por encima del firmamento.
Así habrá de ocurrir, madre
que nos das de comer y nos consuelas
con tu vientre lleno de pájaros.

¿Qué mundo es éste
donde un loco tiene que recordarles
que deberíamos avergonzarnos?

SOBRE UNA CAMA ORTOPÉDICA

Algunos dicen que Nonata Pedroso
    nació en Pernambuco,
y ella jura que tuvo relaciones
con el espíritu de Nuestro Señor Jesucristo
sobre una cama ortopédica.

—Eres la puritana mística —me dijo Él
con una voz tan suave
como el roce de las alas de un colibrí
contra mi pecho lleno de leche.
Eres la puritana más láctea de todo el Universo,
me dijo riéndose como un enano de mirada perdida
al que acaban de rozar, más allá del crepúsculo,
con alas de colibrí que tiemblan
    como la cama ortopédica.

—¿Yo la puritana mística? —dijo Nonata
    entre sollozos.
¿Yo la ortopedia del puritanismo, la puritana
    más láctea?
Aunque ustedes no lo crean, juro que tuve relaciones
con el espíritu de Nuestro Señor Jesucristo
sobre el bramadero de una cama ortopédica.

Él me decía no puedo más, éste es el fin.
Yo le dije no te arrepientas, casi todo perdura.
Él me decía no puedes más, ¿por qué
te has vuelto heroica?
Yo le dije lo que tú digas, pero no te arrepientas.

Él me besó tres veces, dijo no te apresures,
éste es el fin.
Yo le mordí sus labios, tres veces, la trinidad
en sus labios,
pero no tuve el valor para decirle tu boca es mía,
sólo mía.

EL CANTO DEL ZANATE

Es muy posible que Dios, si existe,
no sea una guacamaya
ni una ninfa gris
—otro tipo de guacamaya vespertina—,
sino más bien un zanate gigantesco
de plumas casi azules por lo profundas
y ojos de velocidad amarilla, de ambigüedad
simulada.

Dios podría ser ese silbido de cristal
que se astilla como la luz, silbido agudo
como gusano de luz en la garganta
de los pájaros negros.

Dios podría o no podría, que para el caso es lo mismo.
Su voz de zanate se estrella en el cristal
de esta pluma que quisiera dibujarlo,
pero el esplendor del mar con sus tortugas
nos deja ciegos como la guacamaya vespertina.

CADA UNO SE DESPIDE

Cada uno se despide del mundo como puede:
adiós una vez más, queridos
pájaros del mar, del envidiable sueño
y de la tierra:

supongamos que gorriones
y pelícanos, luciérnagas, mariposas
o tortugas con sus huevos
del color de la primavera en el hemisferio sur.

Así ha de ser nuestra despedida en esta noche
donde sólo escucharemos el canto
o más bien las lamentaciones de los grillos
como muchachas que se confunden
o gatos recién acostumbrados
a la evolución de su propia sabiduría.

Supongamos que me despido de tus labios
  que descubrí en 1957,
cuando tú eras casi una niña, mejor dicho un ángel
de ojos inciertos como los de aquel caballo
que todavía nos mira con algo de estupor y de tristeza
desde el bosque lleno de nogales.

Cada uno se despide, ahora o nunca, de la otra
  sombra

que algún día pudimos haber sido
con sus vicios y virtudes, su amor por la lluvia
o su debilidad por la música del cielo
cuyas estrellas desaparecen sin ánimo de perjudicar
a nadie
como conejos enloquecidos por la linterna
del cazador.

Así ha de ser nuestra despedida, paso a paso:
adiós una vez más, entre nubes
y ardillas que se ríen de nosotros
como la abuela Odilia desde su tumba de juguete:

supongamos que alguien cantará en esta noche
donde las luciérnagas me dicen que ya no eres
una niña
y los pájaros vuelan en sentido contrario a la memoria
cuando uno se despide, muchas gracias, con relativa
felicidad.

EL MUERTO

Quisiera hablar con ustedes
de muerto a muerto, ahora mismo,
tal vez con franqueza.

Amé a la Humanidad, así lo creo.
La amo más desde este paisaje en llamas
y cuando ya no existe.

Al fondo aparece la osamenta
de un caballo, siempre un caballo
y aquellas flores azules

que todavía nos perturban.

Adiós a las nodrizas o el asombro de vivir —con una tirada de 5 000 ejemplares— lo terminó de imprimir la Dirección General de Publicaciones del Consejo Nacional para la Cultura y las Artes en los talleres de Ocelote, Servicios Editoriales, S.A. de C.V., Calle de Juárez 59-7, Tlacopac, San Ángel, D.F., en el mes de mayo de 1992.

Diseño de portada:
Luis E. Betancourt Santillán
Cuidado de edición:
Dirección General de Publicaciones